Os olnos claros do pássaro

Valéria Macedo

Dados Internacionais de Catalogação na Publicação (CIP)
(Câmara Brasileira do Livro, SP, Brasil)

Macedo, Valéria
Os olhos claros do pássaro / Valéria Macedo. --
1. ed. -- Peruíbe, SP : Ed. da Autora, 2023.

ISBN 978-65-00-62397-0

1. Experiências - Relatos 2. Lembranças da infância 3. Macedo, Valéria 4. Mulheres - Biografia 5. Relatos pessoais I. Título.

23-145241 CDD-920.72

Índices para catálogo sistemático:

1. Mulheres : História de vida : Biografia 920.72

Aline Graziele Benitez - Bibliotecária - CRB-1/3129

Aos passarinhos, Tom e Ma.

Sumário

Ninho

Estrutura singular construída pelo instinto amoroso.
Fruto de esforço e comprometimento.
Lugar de amparo, nutrição e proteção.

Gostaria que meus filhos me vissem quando eu era só uma criança. Tenho dois filhos. E a criança que fui ainda está aqui comigo, ainda sou. Fui criança palhaça. Fui criança criativa. Não guardava minhas criações somente para mim, eu as tornava públicas. Organizava festas temáticas e teatro de fantoches para toda a vizinhança, noites de terror nos fundos de casa, clubinhos anunciados em jornal, abaixo-assinados para melhorias no bairro e várias outras invenções.

De vez em quando minha menina convida meus filhos a participarem de uma das brincadeiras que mais gostava: eu subia a goiabeira do quintal de casa e apoiava minhas costas em um galho bem forte. Relaxava, então, meu pescoço e via tudo de cabeça para baixo. Havia desenhado, de canetinha preta, dois olhos e um nariz em meu queixo. Ao ficar de cabeça para baixo na árvore, os olhos desenhados e o nariz eram completados por minha boca de verdade, porém invertida.

Gargalhadas de apertar a barriga e brotar lágrimas, surgiam das conversas desse personagem ao inverso. Quanto mais eu ria, mais eu parecia entristecer aos olhos de quem estava com os pés no chão em frente à árvore.

Tenho lembranças costuradas de alegria: festas de aniversários misturadas com festas Juninas, muito brincar e criar, minha escola, meus amigos, acampamento com meus pais e meu irmão, minha bicicleta prateada Cecizinha e a piscina Regan no quintal.

A vida foi acontecendo e, sem perceber, um ruído silencioso se fez presente. Difícil imaginar um ruído de silêncio, mas foi como uma mudança que chegou mansa, quieta, tímida. Escorreu por debaixo da porta e se espremeu em um canto da sala. Intruso sorrateiro, fácil de se ignorar. Dia após dia, a presença relaxou e se sentiu mais e mais à vontade. Até um dia se tornar de casa. Sem nos darmos conta, passou a se sentar no melhor lugar do sofá e tinha o controle remoto da televisão nas mãos.

Demandou ser servida. Trouxe com ela o desrespeito, que convidou o medo, que abriu a porta para a violência e o sofrimento. Queria perguntar de onde veio ou o porquê da visita. Por que vir para a minha casa? Porque a minha família? O que te fizeram?

Sentimentos antagônicos me invadiam e preenchiam todos os espaços dentro de mim. As lembranças desse período às vezes me vestem de sorrisos e às vezes me pesam toneladas nos cantos da boca. Definitivamente alteram o ritmo de minha respiração. São memórias embebidas em paradoxo. Orgulho e vergonha se desafiavam. Raiva e amor coabitavam. Medo e bravura eram resistência. Desespero e esperança se abraçavam. Grito e silêncio eram um só nó na garganta. Luz e escuridão me dividiam.

O corpo rígido e o rosto transtornado de terror. Era loucura pensar que tudo era derivado de amor. Amor que encontrava barreiras para ser fluido, para ser vivido. Amor que jorrava na forma de fúria, medo, grito como tentativa de romper o que lhe impedia, lhe impossibilitava. Tudo que ali eu vivia era demais para uma criança. Seria demais, ainda hoje, aos meus quarenta e cinco anos.

Já não sei se gostaria que meus filhos me vissem quando criança. Não pelo menos depois das mudanças em minha casa. A confusão de sentimentos estava expressa no olhar, nas mãos e na fala de nós quatro. Já nem sabíamos sermos nós mesmos.

Tenho uma imagem muito nítida em mim da primeira vez que notei que algo estava fora do lugar. Não sei dizer quantos anos tinha. Estávamos em um churrasco na casa de minha bisavó. Nós e toda a família do meu pai. Em um certo momento, senti a falta de meu pai e o procurei pelo quintal e, em seguida, pela casa. Casa térrea, de apenas um quarto e um banheiro. Não o encontrei na cozinha ou na sala, também não estava no quarto. A porta do banheiro estava fechada. Na busca pelo meu pai, levei meus olhos à fechadura do banheiro. Banheiro enorme, amplo, de pé direito alto e azulejos brancos. O encontrei. Ali estava ele, pequeno e frágil. Com as mãos apoiadas na pia, as costas curvadas e com a cabeça baixa. Usava só a cueca e parecia se sentir mal. Era sim a imagem do meu pai, mas era ao mesmo tempo um pai que eu nunca havia visto. Não me lembro de mais nada do que aconteceu naquele dia, mas ainda posso visitá-lo vulnerável naquela cena. Mal sabia eu que aquela fechadura simbolizaria a abertura de uma nova fase de minha vida.

Além do desejo de que meus filhos me vissem criança, gostaria de incluir mais um pedido. Gostaria que meus filhos conhecessem meu pai. O homem mais inteligente e sensível que conheci. Como bom aquariano, estava sempre à frente de seu tempo. Guardo um recorte de jornal antigo, no qual pela primeira vez um computador portátil estava em campo durante uma partida de futebol. Era de seu time preferido. Ele havia criado um software para ser utilizado pelo técnico do time e levado ao jogo para acompanhar e coletar dados sobre a partida e desempenho dos jogadores.

Pessoa muito agradável, requintada, extremamente educada e de gosto apurado. Adorava música popular brasileira, assim como Beatles, Tears for Fears e Dire Straits. Dirigia pelas estradas, sem pressa, com a janela aberta, a mão direita ao volante e a esquerda com um cigarro entre os dedos. O vento movia as ondas marcadas e loiras de seu cabelo, quase no ritmo de Beto Guedes e Leila Pinheiro. Meu irmão, cinco anos mais novo do que eu, recebeu o nome de um de seus poetas favoritos, Vinícius de Moraes.

Meu pai interpretava as letras de músicas com olhos de água. Um sonhador de olhar poético. Me falava das canções de Elis Regina e de Raul Seixas e do que só ele ouvia nos espaços entre as letras de suas músicas favoritas.

A paixão entre meu pai e minha mãe sempre foi evidente. Minha mãe sempre nos contou sobre o encontro entre eles e o amor à primeira vista. Ela o chamava de menino e ele a chamava de menina.

Quando nasci, meus pais ainda eram muito jovens. Meu pai tinha apenas dezenove anos e estava desempregado. Mas a vida foi acontecendo e tivemos uma boa vida de classe média. Sua preocupação maior era a de nos oferecer sempre a melhor educação possível. Mesmo em tempos mais apertados encontravam meios para nos manter em uma escola privada.

Tenho gravado em mim frases que mais eram como mantras por ele recitados, junto a olhares de profunda confiança e admiração. Carregam a certeza de que tudo daria certo, qualquer que fosse a minha escolha na vida. Notícias de conquistas nunca eram recebidas com surpresa e sim com um ar de "eu já sabia".

Em uma certa ocasião, precisei de uma roupa especial. Fui escolher o vestido com meu pai. Ele nunca olhou para o vestido, sempre para mim. Com olhar apaixonado, disse à vendedora que fui eu a responsável por tornar o vestido lindo. Ele era o famoso pai babão.

Homem gentil, honesto e generoso. Adorava ver criança lambuzada de sorvete. Desorganizado com dinheiro. Tomava banhos quentes de nuvem. Eu sentia seu perfume ao longe.

Nunca faltou ao compromisso de todas as noites ajeitar o meu cobertor e me desejar uma boa noite. Sempre me foi colo.

Pensando bem, só gostaria que meus filhos conhecessem esse pai que acabo de descrever. Infelizmente, meu pai mudou. Suspeito que foi ele quem deixou a porta destrancada para o convidado não bem-vindo chegar. Jamais se descuidou intencionalmente. Acho que foi vítima de seu passado. Quem sabe alguém teria aberto essa porta pela primeira vez muito antes de meu pai?

A mudança inicialmente foi sutil. Aos poucos, as pequenas discussões em casa cresceram. Minha estratégia em casa foi de adotar o mimetismo ou camuflagem, quiçá a invisibilidade. Não poderia ser motivo e nem queria estar presente durante as brigas e discussões. Adotei o método de sobrevivência da filha erroneamente dita exemplar. Nomenclatura de uma educação tradicional e ultrapassada. Se fosse corretamente denominada seria uma filha bem domada.

Perdi a voz, a criatividade. Ganhei medo, muito medo. Tornei-me uma investigadora de excelência. Calculava a força com que o portão de casa era aberto e a combinação rítmica dos passos que meu pai dava. Examinava a velocidade dos seus reflexos. Escutava as nuances do tom de sua voz.

Notava com qual clareza as palavras eram pronunciadas. Sabia identificar que tipo de vida habitava seus olhos. Tinha nariz treinado para cheiros diferentes. Notava a abotoadura da roupa e a dobra da camisa. Nenhum detalhe me passava despercebido.

Cada gesto, cada pista coletada anunciava como poderiam ser minhas próximas horas em casa. Anunciavam quem eu deveria ser naquela noite. Seria hoje um bom dia para conversar? Deveria ir me deitar mais cedo? Será que se assistisse a um programa de televisão poderia me deparar com uma cena capaz de ser faísca de problemas? Aprendi como ninguém a me esconder no alto das escadas da sala, atrás de uma parede e a escutar por trás das portas.

Passei a montar planos com rotas de fuga. A esconder chaves de portas. Sabia telefones de emergência: polícia, bombeiros e ambulância. Tinha planos para como alcançar o local onde estava o telefone, que era fixo ou mesmo reconhecer quando deveria retirá-lo da tomada. Coletava objetos que poderiam oferecer perigo. Controlava minha respiração para que meus outros sentidos ficassem mais aguçados. Comportamentos instintivos para situação de perigo.

Minha estratégia fora de casa era de corresponder às expectativas de quem possuía uma família saudável e perfeita. Eu sabia que a situação me tornava uma criança inadequada diante da sociedade. Não via a possibilidade de ser aceita se expusesse a verdade que vivia intimamente. Não havia quem pudesse me ajudar. Me vulnerabilizar era vulnerabilizar aqueles a quem mais amava. Nunca dividi com ninguém a realidade de dentro de minha casa. Sofria antecipadamente com a possibilidade de alguém julgar as pessoas que mais amava.

Não queria trazer mais preocupações. Me dedicava muito aos estudos. Sabia quando e quem poderia frequentar a minha morada.

Minha verdade foi se afundando e ficando sem ar.

Meu pai estava doente. Minha mãe estava doente. Meu irmão estava doente. Eu estava doente.

Mas era doença que se disfarça, com um tudo bem e um sorriso.

Ninguém notava.

Os anos foram passando e eu fui tentando viver da forma mais próxima do normal possível. Minha mãe voltou a estudar e a trabalhar. Meu pai passou a não se manter por muito tempo em seus trabalhos. Apesar de muito competente, a doença cada vez tomava mais conta e refletia em todos os aspectos da vida dele.

Aos quinze anos, comecei a trabalhar. Assim, somando as horas de trabalho e de estudo, minha permanência em casa era cada vez menor. Estava mais independente. Passei por fases de revolta. Meu ato de violência contra meu pai, aos dezesseis anos, foi minha primeira tatuagem. Efeito zero.

Todos tentavam levar uma vida normal durante o dia. Porém nunca sabíamos como seriam as noites. Quanto mais ocupada me mantinha durante o dia, menos sofrimento antecipado sentia. Meus pensamentos não deveriam caminhar pelos campos do tempo futuro. Não deveria pensar no após a chegada em casa.

Comecei a namorar no último ano do ensino médio. Conheci meu namorado Alex na mesma escola em que meus pais se conheceram e também começaram a namorar. Entrei na faculdade de Odontologia. Seis anos de curso noturno incluindo os sábados.

Durante o dia trabalhava e à noite cursava a faculdade. Juntei muita força e esforço para manter minhas responsabilidades. Não foi fácil. O trabalho e o estudo mantinham minha mente entretida e me traziam alívio dos problemas de casa, para os quais não conseguia encontrar solução.

Tivemos uma daquelas noites infernais. Adormeci chorando tanto que sentia que viraria do avesso. Sentia ódio e amor por meu pai. Descobri que a impotência era o sentimento que mais me pesava e o mais difícil que já havia sentido. Queria usar meu amor para salvar meu pai. Queria ao mesmo tempo que ele sumisse de minha vida. Sei que ele precisava de colo. Ele precisava de ajuda.

Eu e meu pai morávamos na mesma casa, porém nos correspondíamos através de cartas. Minhas madrugadas doídas eram aliviadas pela escrita. Palavras transbordavam esperança. Eram tentativas de acordá-lo de um estado, o qual eu não conseguia identificar. Algumas das cartas eram ternura. Outras cartas eram rancor. Palavras distintas cuja tradução sempre foi amor. As cartas de meu pai eram confusas. Escrevia em papel seda, com letra de quem um dia quis ser arquiteto. As palavras escritas por meu pai espelhavam o tormento de sua tempestade interna. Acho que dentro de sua mente habitava um cavalo selvagem arisco, agressivo e assustado.

Na manhã seguinte a uma destas noites eternas, assisti uma cena muito triste. Minha mãe havia passado toda a noite trancada no quarto com meu pai. Vi minha mãe se jogar do segundo andar de casa para conseguir ir trabalhar. Por sorte ela não se feriu. Imagino que feridas mais profundas estavam abertas e pulsavam a céu aberto sem serem notadas. Machucados em sua pele já não eram capazes de incomodá-la.

Precisava fazer algo. Aos dezessete anos procurei um advogado. Única solução que enxerguei naquele momento. Meus pais precisavam se afastar, se separar. Tinha medo que algo ainda mais grave pudesse acontecer. Danos emocionais, psicológicos e físicos que poderiam ser irreparáveis, se já não eram. Dias depois, deixo o documento do advogado, para separação conjugal, sobre a mesa da cozinha. Certamente meus pais viram os papéis. Meu pai percebeu que estávamos chegando a um limite e que algo precisava mudar.

Nos dias seguintes, testemunhei um pai calado, reflexivo, envergonhado e abatido. Algo havia mudado. Percebi que existia um esforço vindo dele. Tivemos um ou dois dias de silêncio em casa. Mais um dia e os tremores começaram. As mãos de meu pai tremiam. Em seguida todo o corpo tremia. Segurar a xícara de café pela manhã se tornou difícil, escrever não era possível. Ele passava horas deitado no sofá da sala. Os tremores aumentaram até que o seu andar se tornou difícil. Uma noite ouvi um barulho forte no corredor na lateral da casa. Meu pai estava caído, tendo várias convulsões. Ele também passou a ter alucinações. Via pessoas, conversava e reagia a elas. Suas reações não negavam o quanto lhe pareciam reais as situações que vivia em sua mente. Foi então que entendi. Ele estava tendo uma crise de abstinência. Nos disse que havia parado de beber porque não queria nos perder.

Meu pai passou por internações voluntárias e involuntárias. Esteve na mesma clínica que meu avô havia ficado antes de falecer. E que ironicamente, fora meu pai quem havia o convencido da necessidade de internação. Havia vontade em se tratar, porém a saúde de meu pai o foi deixando muito rapidamente. Sofreu fraturas pelo corpo, passou por um quadro de erisipela, infecções e outras reações vindas de um corpo fraco, machucado. Meu pai estava muito debilitado. Havia envelhecido, mas era um menino assustado, vulnerável e perdido.

Entre temporadas em clínicas de reabilitação, grupos de apoio, internações hospitalares e recaídas, tínhamos momentos de calmaria. Esses espaços de tempo eram finais de tarde à beira do mar, sem sinal de mar revolto. Tudo era silêncio. Águas transparentes refletindo muita luz. Mar que convida até o tempo a contemplar. Abandonamos o corpo e nos tornamos o todo que se apresentava em nossa frente. Queria dizer a meu pai: estou assustada. E, pela nossa proximidade, sentir em sua respiração o pavor. Olhares marejados implorando: vamos esquecer nossas aflições por agora e vamos só estar um com o outro? Vamos entrar na poesia que sempre te tocou e que sempre me convidou a visitá-la?

Voltei a reconhecer meu pai de verdade. Pai carinhoso, marido apaixonado, ser humano bondoso, homem sedutor, do sorriso e olhos mais lindos que conheci.

Me lembro das lindas declarações de amor que fez à minha mãe durante suas crises. Nos arrancou sorrisos molhados de lágrimas. Também compartilhou a dor insuportável que sentia quando lhe faltava o autocontrole. Falou sobre arrependimento e vergonha. A autocondenação pesava em sua sombra. Em uma de suas cartas me escreveu sobre a pressão pela perfeição. Tentativa de me emprestar seus olhos.

Em meio a essa vida de tensão, que se arrastou por anos, eu seguia trabalhando e estudando. Deixava a minha casa às sete da manhã, para trabalhar, e retornava após a faculdade, próximo à meia noite. Meu então namorado era meu amparo. Era dele que vinham as doses de afeto que me sustentavam. Voltei a ter colo. Ele ajudava não só a mim, como a todos em casa. Com conversas despretensiosas e também com as de conteúdo pesado e sofrido. Ele não foi testemunha dos momentos mais dolorosos, mas sempre foi abraço. Nunca julgou. Ele era escuta atenciosa e gentil. Mesmo não compreendendo o que acontecia em minha família, nos respeitava. Meu pai confiava muito nele. Meu pai o amava.

Um dia meu pai chegou em casa e não se sentia bem. Os olhos turquesa estavam alaranjados. Contou que sangrava. Minha mãe estava trabalhando. Decidi levá-lo ao hospital. Meu irmão estava comigo. O hospital ficava longe, do outro lado da cidade. No caminho, tivemos conversas nas quais uma fala confusa era seguida de uma frase de imensa lucidez. Me lembro que ri. Me lembro que chorei. Tudo muito.

Na recepção do hospital a atendente questionou a razão da vinda ao hospital. Meu pai com o auxílio das mãos arregalou os olhos como resposta. Entrou no hospital de bom humor, brincando com os funcionários. Disse que alguns dias de hotel o fariam bem. Ficou no quarto por pouco tempo. Seu estado se agravou e ele foi transferido para a Unidade de Tratamento Intensivo. Completou seus quarenta e três anos na UTI. No dia seguinte ao seu aniversário, após a visita, o médico nos procurou e disse que o prognóstico não era bom. Os médicos nos disseram que a lesão de alguns órgãos abdominais haviam se agravado e se tornado também uma lesão cerebral. O quadro mental era irreversível.

Naquela noite, ao retornarmos para casa, nos sentamos, eu, minha mãe e meu irmão na sala. Em atitude de oração, pedimos que acontecesse o melhor para meu pai. Desejávamos, fosse o que fosse, o melhor para ele. Foi nosso ato de resignação. Duas horas depois, um telefonema nos acordou. Havíamos adormecido no sofá da sala. Na ligação alguém nos pediu para que fôssemos ao hospital.

Era madrugada. Avisei Alex, meu namorado, que estávamos indo ver meu pai. Ele veio para nos ajudar. Não falamos nada durante todo o percurso. Meu corpo inteiro tremia, impossível controlar. Engoli em seco gritos de desespero. A tola esperança ainda insistia em me trazer pensamentos alternativos à realidade que estava à minha frente.

Penso que muito do sofrimento que sentimos na perda de alguém que amamos está em nos perdemos também. Deixarmos de ser quem éramos perante essa pessoa e o mundo. Também nos doem as perdas da relação. Dói nos vermos sem a companhia, sem o apoio, sem os aplausos, sem os olhares, sem a voz, sem a troca, sem o fluir de emoções entre nós e quem parte. A dor maior contida nestas perdas dizem muito mais a respeito de nós do que sobre a pessoa que parte.

Sou quase nada neste imensurável Universo. Tolice a minha querer ditar a ordem das coisas. Nem sobre mim mesma muitas vezes tenho controle. Como poderia eu saber o que seria melhor para o meu pai?

A dor foi profunda e dilacerante, apesar de sentir que mesmo em vida já havia perdido muito de meu pai.

Depois de sua morte, pairei pela vida por um bom tempo. Estive parcialmente presente no trabalho, na faculdade e em casa. Nada tomava posse de minha atenção. Os dias passaram mudos. Não havia cor. Não haviam gostos e desgostos que me tirassem desse estado de transe. Eu testemunhava meu corpo que vagava de acordo com a agenda. Não faltava aos compromissos. Usava a velha técnica do "tudo bem" e um sorriso.

Era uma pessoa funcional, mas que só voltou a viver quase por inteira depois das quatro estações.

Acho que a passagem de um ano faz possível se vivenciar a ausência de quem amamos em todas as datas comemorativas nele contidas. Em um ano, as vitórias e derrotas nos atravessam e a falta daquela pessoa pode ser sentida em situações onde antes contávamos com ela. Meus pensamentos me torturavam ao montar possíveis cenários futuros, sonhos, como a formatura, o casamento, o nascer de meus filhos. Ensaiava todos os possíveis momentos felizes que gostaria de viver com meu pai e antecipava a dor de não tê-lo presente.

Uma certeza passou a me habitar: a de que merecia ser muito feliz. Como se existisse uma cota de sofrimento para cada ser humano utilizar durante sua vida e a minha já houvesse se esgotado. A segurança de que seria feliz no que me propusesse a fazer da minha vida vinha do olhar paterno que me vigiou, motivou e sempre acreditou em mim. Esse olhar é meu precioso amuleto.

Acredito que a vida é um grande ciclo constituído de ciclos menores. Um gigantesco ciclo se encerrava com a morte de meu pai. Ele se foi em fevereiro, mas no meu coração fazia inverno. A escuridão se fazia mais presente do que a luz. Inverno pleno de silêncio, frio, recolhimento e reflexão. Inverno da relação mais complexa e importante que havia vivido até aquele ponto de minha vida. Mas o que nem sempre podemos notar nos invernos é que a vida ainda se faz presente. Está apenas recolhida. As raízes se mantêm vivas, aguardando o sinal do sol. As sementes aguardam o acolher caloroso da terra para brotarem. A natureza aguarda as condições ideais para se manifestar. Quando menos se espera, renasce na terra um verde vivo, novo, cheio de vida, pronto para recomeçar.

Somos terra fértil.

A primavera vem.

Eu sabia que a minha primavera viria. E com ânsia de vida. Uma mudança pequena de perspectiva, uma leve mudança na inclinação do planeta e tudo se transformaria.

Um novo horizonte surgiria. Ciclo divino.

Horizonte

Onde céu e terra se tocam.
Guia celestial inalcançável.
Inspiração que direciona futuro e catalisa sonhos.
Poesia para os olhos.
Fronteira entre início e fim de um tempo.

Meu pai faleceu quando eu estava com vinte e dois anos.

Formei-me na faculdade aos vinte e quatro anos.

Casei-me aos vinte e cinco.

Apesar dos sete anos de namoro, não foi fácil assumir a decisão de me casar. A decisão já morava em mim, porém verbalizá-la à minha mãe era difícil.

A perda de meu pai, a mudança de endereço, o desapegar de muito do passado, o voltar a olhar e a cuidar de nós. Principalmente cuidar de minha mãe, que tanto amor merecia. Casar e sair de casa me parecia uma traição. Minha mãe deveria ser cercada de afeto, de cuidados e não de abandono. Abri meu coração para minha mãe, mulher prática que não faz drama. Um de seus segredos de sobrevivência. Viu meus receios e sabiamente me disse: filha, vá em frente, se dê a chance e se não estiver feliz, volte! Vou sempre estar aqui para você. Senti alívio e a decisão se tornou mais leve.

Mudei de carreira aos vinte e seis anos: de analista de sistemas fui me dedicar à odontologia. O casamento, a nossa nova casa, a vida a dois e a nova carreira foram grandes oportunidades de me reinventar e respirar novos ares. Os dias eram muito corridos. Depois da tempestade do passado, nada parecia me desequilibrar facilmente. Eu era navegadora experiente. Não havia nenhuma tempestade à vista.

Quando vi, já tínhamos sete anos de casados. Nossas carreiras iam bem. Tinha muitos pacientes e meu próprio consultório. Alex crescia em uma grande empresa americana.

Sonhamos com nosso filho. Pedimos por ele e em pouco tempo recebemos a notícia que ele já fazia casa em mim. Gestação muito desejada e cercada de atenção e cuidados. Apesar de meus exames não estarem dentro dos marcadores desejados pela medicina, segui o plano de um médico de cabelos brancos que em todas as consultas repetia: vamos aguardar. Outros médicos queriam interferir no processo de desenvolvimento do Tom em meu útero. Meus exames indicavam que estava desenvolvendo uma doença autoimune. Receitaram corticóide, medicamento para malária, mas eu me sentia bem. Semanalmente fazia exames laboratoriais e exames de imagem. Segui aguardando e cuidando de nós dois.

Tom foi um removedor de ignorância. Fez-me enxergar a vida através de lentes mais sensíveis e cuidadosas. Tom me fez mãe. Mais um amor para ser cultivado. Amor novo, sem passado. Não sou capaz de fazer este amor caber em palavras. Tom é presente divino. Me estende a mão todos os dias em direção ao resgate de minha integralidade.

Nossa história começou em uma segunda-feira chuvosa, à noite. Tom veio tranquilo, para não apavorar a mãe inexperiente. Foi moldado com covinhas nas bochechas. Se o paraíso existe, tem o perfume de Tom. Ele foi rega para muitas sementes adormecidas dentro de mim. Eu estava longe de ser a mãe idealizada, aquela que inexiste, mas me esforcei para ser a minha melhor versão. Minhas falhas eram provas de minha humanidade.

Alex era presença, sensibilidade e parceria. Sintonia tamanha que sempre sintomatizou nele os desconfortos do Tom. Que presente para Tom tê-lo como pai. Pai divertido, cuidadoso e amoroso. Os melhores cochilos do Tom sempre foram sobre o ventre de Alex.

Nunca me contaram que a melhor parte de sermos pais é testemunharmos o desenvolvimento do ser humano que mais amamos. Presenciarmos as dificuldades, assistirmos a entrega, o esforço, a superação, vermos o nascer de sonhos e as reações das experiências vividas pelas primeiras vezes. Pais oferecem as condições, permitem, mas seria muita pretensão tomarmos para nós vitórias que são exclusivamente dos filhos.

Se estivermos presentes e mantivermos vivo em nós o que verdadeiramente desejamos da nossa relação com nossos filhos, poderemos presenciar pequenos milagres e um chamado para nosso próprio viver.

Essa nova relação foi oportunidade de revisão de conceitos e de verdades existentes em mim. Era preciso atenção ao que entregaria ao meu filho. Recebi demais do mundo e nem tudo foi bom. Um grande exercício de revisão de quem eu era nasceu junto ao Tom. Nasceu também uma pergunta: por que acredito no que acredito?

Oportunidade de meu próprio renascimento.

Os dias se passavam e eu tentava criar meios de dar conta das responsabilidades do dia a dia como mãe e profissional. Conflito interno. Desejava exercer minha profissão e manter minha independência. Desejava, também, ser mãe presente. O instinto de proteção e nutrição me chamava. Sem falar no desejo ilusório de cuidar do corpo, ter vida social e vida de casal. Tantas cobranças que me pareciam desumanas. Reconheço minha posição privilegiada de ter um companheiro e recursos. Reverencio as mulheres que evocam e evocaram todas suas forças no propósito maior de cuidar de um filho. Se fazem meio para a vida de uma criança.

Naquele mesmo tempo, minha mãe dividiu comigo os problemas que estava tendo com meu irmão. Meu irmão, aos vinte e cinco anos, sofria as consequências dos tempos desestruturados em que crescera.

As sensações, registradas na minha alma em experiências com meu pai, voltaram. A impotência, amiga antiga, chegou com intimidade. Como eu poderia ajudar minha mãe e meu irmão? Já havia saído da casa de minha mãe há anos. Havia distância entre meu irmão e eu.

Passei a me ver transparente, desequilibrada emocionalmente diante dos pacientes. Chorei em consultas. Já imaginou um paciente encontrar a dentista querendo tomar seu lugar na cadeira e fazê-lo de divã?

Acho que minha expressão emocional acontecia a fim de ser propulsora da mudança que eu precisava. Minha vida não estava harmônica naquele momento.

Sentia que desmoronaria se teimasse conciliar trabalho, maternidade e problemas familiares. Toda a situação era desconfortável, porém era lugar conhecido.

Existem alguns fatores que dificultam a decisão de mudança. Um deles é a dificuldade em superar a força intelectual, a racionalidade que nos prende em um determinado e conhecido comportamento. Outro fator é o medo de errar. Na decisão de mudar algo na vida existe o medo, mas neste mesmo lugar se encontra a oportunidade de crescimento.

Naquele recorte de tempo, meu trabalho era um símbolo de conquista pessoal, mas internamente o seu valor era efêmero. Havia se tornado mais um comportamento repetitivo do meu dia a dia. Estava presente fisicamente no consultório, mas minha mente e meu coração estavam distantes.

Deixei de resistir e segui por um caminho diferente. Abri mão do meu trabalho. Haviam sido vinte anos de labuta contínua. Achava engraçado encontrar escovas de dente que seriam dadas de brinde de Natal, mas que nunca chegaram aos pacientes. Acho que as encomendei poucas semanas antes de fechar o consultório.

Meu choro durante o trabalho, meu surto, não foram necessariamente ruins. Foram meio para um adequado ajuste de percurso.

Voo

Leveza de ser vento.

Coragem de buscar o céu, mesmo temendo a altura.

Gesto natural e sagrado de liberdade.

Mais uma manhã, mais um dia. Primeiro a neblina. Ainda de pijamas, ia à varanda do apartamento para assistir o despertar da mata e preencher de orvalho meus pulmões.

A movimentação nas portarias era intensa. Chegavam os entregadores, os funcionários de obras, as domésticas e as babás. Não se via, mas se sabia que chegavam após um longo trajeto de quem vivia em uma realidade de luta. O início do dia para eles antecedia o surgir do sol.

Minha ajudante chegava para trabalhar por uma porta, enquanto eu saia pela outra. Ia levar o Tom à escola. Só um grande terreno separava meu condomínio e a escola. Cruzávamos o gramado de mãos dadas. Tom seguia preenchido de curiosidade. Ele era pássaro iniciando seus pequenos voos. Minhas mãos hesitavam em soltar as pequenas mãos do meu passarinho. Os gigantescos olhos do Tom procuravam pelos amigos e se despediam de mim com alegria.

Havia se passado alguns meses desde a decisão de parar de trabalhar. Estava feliz com a ideia de alugar meu consultório dentário a outro profissional para me dedicar à vida de mãe integralmente.

Foram muitos anos contabilizando mais de doze horas diárias de trabalho. Um consultório próprio e uma boa carteira de clientes são conquistas árduas, feitas à base de muitas horas de vida. Senti muito pelos pacientes, especialmente aqueles com quem já havia tricotado uma relação de confiança e amizade.

Apesar da decisão consciente e lúcida, os pensamentos intrusivos sobre a escolha de parar de trabalhar, se faziam presentes de tempos em tempos. Uma voz dentro de mim falava de abandono. Voz conflitante. Hora a voz direcionava o abandono a tudo que eu havia conquistado profissionalmente. Hora a voz dizia que o abandono era em relação ao meu filho. Como uma manta curta que hora cobre os pés e descobre os ombros, hora aquece os ombros e os pés ficam para fora. A voz não se importava comigo. Me condenava. Nunca me questionou sobre minhas necessidades essenciais, minhas emoções, sobre o que eu sentia independente das expectativas dos outros. Esta voz era fruto de uma estrutura de auto condenação existente em mim. Dizia que eu não era boa o suficiente.

Tapava os ouvidos para meus pensamentos. Sentia que a pausa, o acalmar, o mudar meu foco, me vestia bem naquele momento. Precisava de quietude. Tom carecia de atenção. Era um prazer ter um período onde era possível fazer respirações mais longas, ter novamente espaço entre meus pensamentos. Era preciso diminuir a velocidade da viagem da vida e passar a apreciar mais as paisagens. Diz-se que uma outra forma de se estimar nossa vida é pela quantidade de respirar. Através do número de inspirações e expirações a que nos foi concedido. Meu consumo havia sido alto, era hora de desacelerar e zelar melhor pelas respirações futuras.

Ajudei minha mãe e meu irmão, porém de forma mais acanhada. As coisas pareciam mais calmas na casa de minha mãe. E o fato de não estar dentro da vida diária deles me tirava muito do direito de me fazer inquisidora, menos ainda juíza.

Minhas buscas, até este momento, eram comuns a qualquer ser humano. Buscamos por segurança. Galgamos tudo que vemos como necessário para nossa sobrevivência: um teto para morar, alimento no prato, um trabalho, estudo e cuidados básicos de saúde. Depois de encontrarmos nossos meios de sobrevivência, vislumbramos mais. Vem então a busca pelos prazeres, e nele estão os relacionamentos, o entretenimento, as viagens, as experiências.

Essa caminhada pela vida só se faz com passos firmes e na direção do bem, quando durante toda a jornada buscamos uma consciência, um entendimento, de que o alcançar e manter todas as conquistas deve ocorrer com retidão, com um estilo de viver correto, respeitoso, com boa intenção, sem prejuízo ao outro. Nada valeria usufruir das boas coisas conquistadas na vida sem sentirmos que nosso caminho foi limpo, que não prejudicamos, nem fomos injustos com ninguém.

Eu ansiava por algo mais. Queria respostas. Urgência para algumas pessoas. Não está associada aos anos de vida, ao grau de instrução, ao gênero ou classe social. É uma necessidade de sentido, de razão, de propósito. É desejo de descobrir quem somos. Vontade de entendermos nossa própria história. Cada um em sua velocidade própria, dos que fazem suas buscas paulatinamente, aos que praticamente sentem os cabelos a pegar fogo.

Senti que minha vida se encontrava neste ponto onde eu rastreava pistas que provassem conexão, sentido, razão para tudo que havia vivido até ali. Olhava para a história que havia construído e refletia sobre o que desejava para os próximos capítulos.

Minhas tardes eram para o Tom. Não poupávamos energia e criatividade em nossas tardes juntos. Éramos duas crianças. Uma das magias da criança é o ser tempo. Não há preocupação com o que já se passou e nem com o que virá a ser. As crianças estão sempre no mesmo tempo que seu pequeno corpo e sabem identificar quem o mesmo faz. Nós fazíamos arte, explorávamos a natureza, íamos ao playground, criávamos histórias, íamos à piscina e assistíamos dezenas de vezes aos mesmos filmes. As tardes eram cansativas e renovadoras ao mesmo tempo. Me fazia muito bem estar de volta ao mundo do faz de conta, onde o bem sempre vence o mal. Fazia-me bem a física quântica das brincadeiras infantis com suas infinitas possibilidades.

O desejo por uma companhia de vida para o Tom chegou, amadureceu e em pouco tempo foi atendido. Eu teria mais um filho. Mais uma vez seria meio, ferramenta do Universo para dar a luz a um ser humano. Mais uma chance de expandir meu Universo interno. Definitivamente, no mínimo, haveria a expansão das formas de meu corpo. Descobri a gravidez logo após o terceiro aniversário de Tom.

Tom ganharia uma irmã. Durante um certo tempo nos referimos a ela no gênero masculino. Mas o tempo corrigiu o engano do médico e me fez feliz demais. Suspeitava que uma menina chacoalharia algo adormecido em mim. As mulheres podem ser verdadeiros portais de cura para outras mulheres.

Sabíamos que a chegada de mais um membro da família transformaria nossa forma geométrica familiar. Mas nem o melhor matemático teria o poder de provisionar e mensurar os possíveis impactos desse novo membro na família.

Na intenção de aproveitarmos o momento ainda a três, planejamos uma viagem. Levaríamos o Tom para Disney. Não foi a primeira viagem internacional do Tom. Ele já havia passeado pela Argentina e passado um mês em Chicago, enquanto meu marido estudava por lá.

Animação no pico para nossa viagem. Passamos duas semanas nos divertindo muito em Orlando. Achávamos que esta viagem seria muito difícil com a família maior. Um bebê dificultaria muito nossa aventura. Seria muita organização e trabalho extra. A viagem era como uma divertida despedida de nosso trio. Eram os últimos momentos de exclusividade de meu primogênito.

Na época, Tom era fã do Carros e fez questão de conhecer tudo sobre seu filme favorito. Tom sempre foi uma criança calma e com a coragem de se apaixonar por qualquer assunto. Menino com alta capacidade de concentração e foco, apesar da pouca idade. Sensível e doce, muito doce. Feito com doses extras de afeto.

Foi em um dos dias mais tranquilos da viagem que Alex recebeu uma ligação. Meu marido atendeu ao telefonema e retornou, surpreso, para me contar que havia recebido uma oferta de trabalho. Ofereceram uma posição no escritório na Flórida, Estados Unidos. Sentimos um frio na barriga bom, tipo montanha-russa. Parecia loucura, mas também fazia muito sentido. Ficamos muito felizes. Era a oportunidade de explorarmos um novo modo de viver em um lugar que já conhecímos e gostávamos.

Já havíamos estado na região em que ele trabalharia e que possivelmente moraríamos. Mas nunca havíamos olhado com olhos de lar para aquele lugar. Era inevitável imaginar nossos filhos levando uma vida com mais segurança, com mais liberdade. Uma vida mais aberta do que a vida em nossos condomínios fechados.

O aprendizado de uma nova língua para as crianças e a diferenciação que traria para o currículo de meu marido eram outros atrativos. Alex já havia trabalhado nesta empresa, assim já conhecia a companhia e alguns funcionários.

O escritório ficava próximo a Miami. Miami é um bom ponto inicial para brasileiros que desejam se aventurar em um outro país. Região de clima tropical, com lindas praias. Paraíso de consumo, literalmente, por ser centro de compras. Possibilidade de se morar nos Estados Unidos sem necessariamente dominar o inglês: o espanhol e o "portunhol" convivem pacificamente. A facilidade de fazer amigos, especialmente brasileiros, é grande. A comunidade brasileira é numerosa, tanto dos que imigraram quanto dos que estão como turistas. A natureza é exuberante e a diversão uma constante. Combinação shopping, praia, piscina e Disney. Por que não?

As fantasias sobre como seria esta experiência foram sempre positivas. Temos certo poder de escolha sobre as lentes que utilizamos para enxergar cada circunstância. Eu crescia os olhos para as possibilidades de crescimento, expansão de horizontes, abundância de experiências, aos desafios pessoais e quem sabe até para uma leve fuga de problemas. Sempre fui fã de recomeços.

Até aquele momento, o pensamento sobre possíveis dificuldades de adaptação era inexistente. A insegurança só chegou mais tarde, com a separação da família, em especial de minha mãe e meu irmão.

A mesma pessoa que fez a proposta de trabalho sugeriu que seria interessante que a mudança fosse rápida para termos tempo hábil de que a bebê nascesse nos Estados Unidos, garantindo assim a sonhada cidadania americana. Eu já estava com cerca de seis meses de gestação. O prazo para viagens aéreas internacionais para gestantes estava se esgotando.

Ao retornarmos ao Brasil, nossos pensamentos corriam em velocidade máxima. Muitas dúvidas. Em algum momento precisaríamos enfrentar, também, a reação que a família teria diante da notícia de nossa partida. Recolhemos o máximo de informações possíveis. Ponderamos sobre todos os envolvidos em nossa decisão, direta e indiretamente, com muito respeito.

Acordamos que deveríamos ir aos poucos, um passo de cada vez. Concordamos que não tínhamos necessidade de sairmos apressados de nosso país. Decisões maiores envolvidas necessitavam de nossa atenção e significavam mais do que uma cidadania americana para nossa filha.

Sabíamos que o essencial, o valor maior envolvido e mais precioso em todo o processo, era a nossa união. Sendo assim, combinamos que se em algum momento ou circunstância um de nós não estivesse feliz com nossa decisão, que nos comunicaríamos e se preciso fosse, mudaríamos novamente a direção de nosso voo.

As conversas com as famílias aconteceram e recebemos reações distintas. Desde falas de apoio, que afirmavam que apenas nós sabíamos o que era melhor para nossa família, até mágoas que transbordaram com a previsão de separação e saudades à vista.

Algumas decisões não são nada fáceis. A conhecida escolha é sinônimo de renúncia. Teríamos ganhos e perdas. A distância e o tempo eram variáveis sobre as quais sabíamos não ter controle algum. Não existiam garantias sobre o que estava por vir. Não havia resposta certa.

Minha gravidez seguia bem, estava com sete meses de gestação. Outra gestação fora dos números desejados pelos marcadores da normalidade. Mas desta vez não dei atenção. Me cuidei muito e me mantive mais serena. Tom foi o pioneiro que me ensinou as peculiaridades do meu corpo ao gestar.

Alex seguia trabalhando nos Estados Unidos, indo nas noites de domingo e retornando nas manhãs de sábado. Fez isso durante meses. Cuidava dos trâmites de viagem, passagens, vistos, estadia em hotel, providenciou a compra da casa, carro e documentações. Ele já estava mais fora do que dentro, cuidava dos assuntos relativos à nova vida no exterior. Alex sempre foi um visionário e ótimo estrategista. Estudava todos os possíveis cenários que poderíamos enfrentar durante o processo de realocação. Estava sempre um passo à frente.

Eu me ocupei das questões práticas da mudança: saída do Tom da escola, objetos que levaríamos, destino dos que não levaríamos, burocracias como a da dispensa de nossa ajudante, venda de carros e muito mais. A oportunidade de desbravar capacidades minhas que ainda não conhecia já havia começado.

Eu gestava. Nós gestávamos sonhos sobre uma nova etapa de vida que estava por chegar. Dentre estes dias que estavam por vir, estavam aqueles em que me tornaria também mãe de um recém-nascido. Praticamente uma promoção na função de mãe.

Desejava também ser capaz de amparar os temperos emocionais daqueles de quem iríamos nos despedir.

A data do nascimento da Maitê se aproximava. Fazia frio naqueles últimos dias de julho. Meu desejo era sentir logo o cheiro de minha cria. As noites eram sofridas. Já não existia uma posição confortável para dormir. Sentia muitas dores nas costas. Estava cansada. Um amálgama de muitas expectativas e emoções pesava no coração.

Em uma quarta-feira à noite, eu descansava no sofá da sala e assistia tv. Tentava silenciar minha impaciência. Cabiam horas em um minuto. Sentia as contrações e as anotava em um aplicativo. Não havia dor. Fui me deitar sabendo que o intervalo entre as contrações estava curto, mas ainda eram indolores. Durante a madrugada, senti que ela nasceria logo. O ritmo e a intensidade das contrações haviam mudado. Acordei Alex, ligamos para o médico e saímos acelerados. Por sorte tivemos tempo de chegar ao hospital. Era muito cedo e a cidade ainda dormia.

Maitê me atravessou como uma flecha, rápida e certeira. Ela era pura vida que me chacoalhava de dentro para fora, que revelava a potência que em mim habitava.

Em alguns momentos do trabalho de parto, não me reconheci. Corpo e mente em batalha. Identificava que aquele era o meu corpo, o sentia, mas ele já não respondia às minhas vontades. Meu corpo trabalhava involuntariamente e instintivamente. Medo. À partir daquele momento me vi como força da natureza, descontrolada e arrebatadora. Era mar em fúria, vendaval, terremoto e incêndio. Renunciei à tentativa de controle e confiei.

Vocalizei a língua dos anjos e de todas as fêmeas. Nunca me senti tão vulnerável e tão poderosa, tudo ao mesmo tempo. Maitê chegou. Parto natural. Chegou quieta e confiante. Parecia saber do nosso encontro. Certo que ela sabia melhor do que eu sobre tudo que se passava por ali.

Se fez paz.

Maitê havia nascido. Parte de mim havia morrido. Muito me havia sido revelado. Eu estava eufórica e em choque. Certamente repetiria inúmeras vezes esta experiência de vida, mesmo que apenas dentro de mim. O que ali vivi, me fez temer menos a morte. O que ali vivi, me fez confiar ainda mais no processo da vida. O que ali vivi, me fez sentir a presença de Deus como jamais havia sentido antes.

Nasceu com os primeiros raios de sol. Leonina. Tom veio conhecer a irmã logo após o almoço. Ele vestia uma camiseta com a estampa de uma gravata. Muito apropriada para o evento. Maitê usava um macacão amarelo com pintinhos desenhados. Pela primeira vez ele foi colo.

Ensaio tocar, de tão vívida, a imagem de meus filhos amorosamente unidos pela primeira vez. A troca de olhares entre eles dizia: faltava você! Daqui para frente seguimos juntos! Pacto selado.

Tudo caminhava dentro do esperado.

Conhecida rotina com recém-nascido: amamentação, troca de fralda, noites mal dormidas, vacinas, consultas médicas. Na rotina de um recém-nascido que iria se mudar de país em três meses haviam tarefas extras. Longa lista de tarefas com prazos curtos.

Todos os dias eram avaliações e decisões sobre o que deveria nos acompanhar ou não. O que suspeitava ser essencial e merecia caber nos quilos que tínhamos direito de levar conosco no avião. Não levaríamos móveis. Nosso apartamento a princípio seria fechado como estava. Parecia viagem longa. Essa decisão acalmou corações. Estávamos sim partindo, porém aos poucos. Assim o comprimido da despedida parecia mais suave de ser engolido. O intelecto racionalizava, mas a emoção resistia. Difícil abrir mão de tanto.

Para agitar um pouco mais meus dias, era eu quem cuidava da obra em um apartamento novo que compramos como investimento quando Maitê estava com um mês. Também estava tendo aulas particulares de inglês. Ao mesmo tempo, organizava a festa de aniversário de quatro anos do Tom. Seria a celebração do aniversário e também o evento de despedida de vários amigos.

Alex seguia retornando aos finais de semana ao Brasil trazendo novidades sobre a mudança.

Os planetas foram se alinhando e tudo saindo dentro do desejado. A data da mudança se aproximava. Não tínhamos dúvidas de que nossa decisão era a correta, mas o temor e a culpa passeavam ao meu lado quando racionalizava sobre a responsabilidade e o impacto dos movimentos que fazíamos e que não eram exclusivamente sobre a vida de nós quatro. Nosso movimento reverberava à distância.

Como tranquilizar o coração dos avós? Minha mãe iria conosco no dia da mudança e passaria o primeiro mês conosco. No segundo mês, a visita seria de meus sogros.

Não tenho fotos da despedida. Choro esteve presente, mas a coragem e o amor também. A coragem era quem nos puxava pela mão. O amor era o guardião de nossa decisão.

Eu e Alex estávamos conscientes de que a partir dali éramos nós quatro. A leveza da inocência de nossos filhos e o peso da confiança que depositavam sobre nós, nos equilibrava.

Recordo-me de Tom e Ma dividindo o mesmo assento no avião e vestindo grandes sorrisos. Era uma grande festa para meus filhos. Tom deixou o Brasil aos quatro anos de idade e Ma aos três meses.

Dentro daquelas horas de voo, com a cabeça literalmente nas nuvens, refletia sobre a jornada até ali. Foram sete anos de namoro e outros sete anos de casamento antes de termos os frutos de nosso amor. Naquele dia, demos nosso primeiro grande voo. Pousaríamos longe do ninho onde nascemos. Nos afastávamos da sombra segura de nossa árvore.

Já na ida, sabia que passava por uma mudança de identidade. Havia sustentado muito papéis até chegar àquele ponto de minha vida. Papel de filha, irmã, estudante, analista de sistemas, dentista, namorada, esposa, mãe, vizinha, neta, patroa, paulistana, dona de casa, brasileira e a lista só fazia aumentar. E cada um destes papéis puxava um fio invisível de expectativas. A lista de qualidades desejadas para se exercer cada um destes papéis é longa, tudo para poder receber um silencioso selo de aprovação. Senso de adequação e aceitação se esconde atrás de tantas nomenclaturas.

Já sentia uma leveza nos ombros ao pensar que alguns deles estavam ficando para trás. Mas, e os novos papéis que estavam por vir? Eis que sorrateiramente se encostou em mim a palavra: imigrante. E o convite de aceitar este novo papel já havia sido aceito, sem eu nem me dar conta.

Um novo ciclo ali se iniciava. Ciclo sustentado por nosso "sim". Um "sim" mais curioso do que receoso. Um "sim" ciente de que em todo crescimento há desconforto. Mas qual seria a graça da vida se não houvessem desafios?

Só se aprende sobre a vida vivendo.

Migração

Mudar no mundo.

As migrações são rotas seguidas.

As migrações são rotas traçadas.

É se deslocar de um lugar para outro.

Acontecem de forma voluntária e carregam intenção. São deslocamentos de distâncias variáveis, a fim de se encontrar melhores condições de vida.

Associo as migrações ao termo "correr o risco". Em ambos podemos imaginar alguém que se movimenta de um ponto a outro. E a travessia, o caminhar entre estes dois locais, é exatamente correr o risco. É o andar nesta linha imaginária. Quanto mais distantes do local final estamos, mais arriscada se torna a trajetória.

Mudança significa atravessar. Qualquer coisa a que nos propomos a tentar pela primeira vez, fazer de uma forma diferente ou mesmo mudar em nós mesmos, pressupõe certo perigo.

Acredito que os sonhos são os grandes catalisadores de travessias.

A caminhada entre o conhecido e o novo pode ser desconfortável, para não dizer assustadora, aterrorizante. Isso graças ao desconhecido e o fora de nosso controle, que ali moram.

Desconhecido é aquilo que não faz parte de nosso conhecimento. Sinceramente, o que já sabemos pode nada dizer sobre a resultante de uma nova experiência. Por sobrevivência, nós a tememos.

Não conhecer, não estar em nosso repertório, não significa que não seja bom. As possibilidades podem ser infinitas e irem muito além de nossas limitadas vivências, experiências e conhecimentos adquiridos anteriormente. O universo pode nos surpreender com aquilo que não somos nem capazes de imaginar. E se o novo não atender minhas expectativas, ele sempre me recompensará através das lições.

Agora, sobre o controle, eu deixo aqui minha risada sarcástica. Desculpem, meu livre arbítrio — que nem acho tão livre assim — está bem humorado hoje.

Verão Miami

O mar em tons turquesa e esmeralda, junto aos coqueiros e às palmeiras, formam a moldura de Miami. Cheiro de maresia. Trilha sonora latina. Sempre é verão em Miami.

O convite para sair de casa e aproveitar o dia surge com o azular do céu e não cessa, invade a noite. O anoitecer chama a sentir o carinho da manhosa brisa morna sobre a pele tostada pelo dia.

Lugar de riquezas: alegria, diversidade, beleza, calor, natureza e gente corajosa.

Pouso

Cheguei em minha nova morada sem bem saber o que esperava da vida ali. Ao aceitarmos o convite para uma mudança, seja ela pequena ou grande, não nos damos conta de que seremos também atingidos internamente. Pequenas mudanças em nossos hábitos podem ter grandes desdobramentos dentro de nós.

Naquele dia, oficialmente, dávamos o nosso primeiro passo no inesperado caminho oferecido pela vida. Não era possível prever o que encontraríamos na jornada. Frutos do novo meio seriam colhidos, desejássemos ou não, e seriam carregados dentro de nós.

Éramos: Maitê com 3 meses, Tom com 4 anos, minha mãe, Alex, eu e doze malas.

Depois de acomodados no hotel, onde viveríamos durante dois meses, caminhamos até nossa nova casa. Eu só havia visto a casa que havíamos comprado em fotos. A fantasia e a realidade de como seria nossa nova vida, estavam prestes a se conhecerem.

Viveríamos a cinco minutos da praia. Estava curiosa para descobrir o quanto o local físico onde moraríamos interferiria em nosso bem estar.

Quanto as paisagens que encheriam nossos olhos diariamente influenciariam em nosso humor?

A caminhada foi sob um sol morno, agradável, de brisa leve, céu safira, muita vegetação, asfalto novo e paisagismo impecável por todo o caminho. Tudo parecia ser recém pintado e recém plantado. Cores vivas. Tudo era fresco e novo. Não via sinais do tempo. Era um grande reinício. Estávamos felizes e ansiosos.

Era um condomínio de casas. Sobrados geminados de cores pastel. Cada sobrado possuía algum detalhe para torná-lo único, como a localização da varanda do quarto, a porta de entrada com recuo diferente da rua, o detalhe da porta. As ruas de paralelepípedos, com largas e sábias árvores, que aliviavam o sol potente sobre a pele de quem que por ali caminhava.

A porta de entrada era emoldurada por uma cobertura de primavera, conhecido por *Bougainville*, de cor rosa vibrante. As flores se derramavam e pingavam por todo chão da entrada.

Sensação boa ao entrar em nosso novo lar. Casa ensolarada, arejada, com algumas janelas de vista mata e outras de céu.

Neste primeiro mês minha mãe me ajudou bastante com as crianças. Alex já estava na rotina de trabalho e eu montava a casa. Idas e vindas ao Ikea, manuais e manuais para montagem de móvel de tv, mesa, cadeiras e tudo que uma casa precisa para se tornar funcional. Ríamos porque era possível comprar uma cama e levá-la para casa em uma caixinha de fósforo.

Nos esforçamos para que a primeira impressão do Tom sobre a vida na Flórida, fosse a melhor possível. Dias após nossa chegada, fomos à Disney. Aproximadamente três horas de viagem. Portal para outra realidade. A vida ocupada e cheia de preocupações ficava do lado de fora dos portões do parque.

Éramos todos crianças. Ali os filhos poderiam fazer lembrança de seus pais na condição de crianças também. Que privilégio, avó e netos se divertirem juntos. Minha mãe rejuvenesceu.

Não tenho fotografado o dia da despedida de minha mãe. Ela me disse que seu coração agoniado voltava em paz. Testemunhou um nível de segurança e qualidade de vida que ela nunca havia visto.

Certamente se preocupava conosco. Restava uma pitada de temor, sobre como eu me sairia com tantas novas responsabilidades e desafios à frente. Nada disse, além de que estaria sempre de prontidão, como um anjo da guarda. Escutaria minhas preces e encontraria meios de me visitar o mais rápido que pudesse.

Nunca duvide do poder de quem nos quer verdadeiramente bem.

Era muito doloroso enfrentar a face da incerteza sobre nosso próximo encontro. Por toda minha vida levei essa sensação de segurança e garantia no peito. A certeza de que minha mãe estaria sempre ali ao meu alcance. Amparo disponível permanente. Que quando precisássemos nos ver, nos veríamos e pronto. Não era possível assim. A verdade era que essa segurança nunca havia existido, mesmo que nosso calendário rabisque círculos para todos os domingos do ano. Não está garantido.

Talvez todas nossas despedidas, mesmo as que nos parecem ordinárias, devessem se tornar pedidos de perdão, demonstrações de gratidão e declarações de amor. A dose de medo da impossibilidade de se realizar novamente, nos aconselha a estarmos por inteiro no encontro com o outro. Incômodo útil. Quando nos tornamos conscientes da inexistência da garantia do acontecer de novo, pedimos ao tempo que se rasteje.

Concluímos que todos os momentos são significativos e únicos. Nossa comunicação berra por assertividade e não perdoa mensagens subentendidas. Somos tomados pela vontade de agarrar todos os detalhes para guardarmos embrulhados com laço de fita.

Naquele dia, embrulhei o olhar de confiança de minha mãe, que dizia que eu daria conta da vida em frente. Já desfiz várias vezes o lacinho, para espiar o embrulho contendo puro acalanto.

As crianças ainda não sabiam qual era a dimensão daquela despedida. Sempre tiveram a avó ao alcance. A contagem do tempo não se fazia necessária ainda na vida deles. Eles estavam sempre no presente e isso bastava.

Meus sogros chegaram dias depois. Ainda estávamos morando no hotel. Foi a primeira vinda deles aos Estados Unidos. Também os levamos para voltarem a serem crianças. Ainda não me conformo como fui tão inconsequente ao levar minha sogra a uma montanha russa no escuro. Perguntei se ela gritaria e alertei que eu usava a potência máxima de meus pulmões naquela atração.

A observação do modo de viver do outro trazia reflexões sobre nossa própria vida e nossas escolhas. Nos levava a questionar, pela primeira vez, simples hábitos que adotamos sem nem mesmo sabermos o porquê. Os pais de Alex reagiram surpresos a tantas descobertas. Diferenças nos cuidados da casa, na alimentação, na educação das crianças e em inúmeros detalhes do dia a dia. Minha sogra voltava ao Brasil determinada a aposentar o hábito de passar roupas, por exemplo.

Tom começou as aulas. Tínhamos receio quanto ao acolhimento que receberia, mas nos preocupamos desnecessariamente, as professoras o abraçavam e faziam festa ao recebê-lo. A princípio, os únicos adultos com quem o Tom conviveria fora de casa, seriam os funcionários da escola. Naquele momento, a escola começou a tomar um grau de importância muito maior do que havia imaginado.

No dia dos pais, a escolinha propôs a lavagem dos carros dos homenageados como presente. Eles estacionaram os carros enfileirados atrás da escola e as crianças munidas de mangueira, baldes e esponjas faziam a lambança, ou melhor, limpeza. Isso representava muito o que era viver naquele lugar ensolarado, onde o convite ao contato com a água era constante.

Nossa casa estava pronta. Nossos pertences enviados via aéreo, haviam chegado. O dia de deixarmos o hotel e finalmente assumirmos a nova vida por completo se aproximava. Meu marido, bem intencionado, sugeriu que minha sogra estendesse sua estadia nos Estados Unidos para me ajudar na primeira semana em casa. Não aceitei. Precisava tomar posse, assumir a responsabilidade de minha nova vida de forma integral. Ansiava as primeiras vezes que estavam por vir. Sentia falta de uma rotina que ainda nem conhecia.

No retorno de meus sogros ao Brasil, as incertezas sobre um próximo encontro também foram ao aeroporto. Não haviam novas visitas marcadas. Por tempo indeterminado, seríamos nós quatro.

Entre o aeroporto e nossa casa, meus pensamentos eram ciclones. As inseguranças tomaram o assento do passageiro e me encararam. Seria eu capaz de cuidar de duas crianças pequenas, sem nenhum suporte? E se meu inglês fosse tão meu, que não me entendessem? E se eu ficasse doente? E se eu e Alex ficássemos doentes?

Inspirei fundo.

Me lembrei dos grupos de apoio: um dia de cada vez.

Estava entusiasmada em descobrir qual seria o meu novo dia a dia. Qual seria meu novo supermercado? Faria amigas no playground? Como seria cuidar da casa? Quem sou eu agora? Sério, eram muitas estreias sem ensaio. Uma descoberta atrás da outra, desde os produtos de limpeza, o tempo de cozimento do novo arroz, nosso novo sabor de sorvete favorito até o descobrir de minha nova identidade. Tudo era novidade, os sons, cheiros, sabores e todos os rostos que via.

Calma, a mudança viria do evidente ao sutil, com paciência. Primeiro a casa e depois a alma.

Fizemos uma recepção em casa. Sugestão de uma de nossas vizinhas, para que outros vizinhos pudessem nos conhecer. Foi ela quem fez os convites e trouxe bandejas de frutas e pães para os convidados. Não foram muitos os vizinhos presentes, mas a atitude generosa me cativou.

No dia a dia, aprendi que as atividades mais simples se tornavam complexas, com um bebê e um pequeno de quatro anos. Guardo com carinho uma fotografia de um simples retorno ao supermercado. Tom no carrinho de bebê, Maitê no sling, presa ao meu corpo e as sacolas de compras, penduradas nas laterais do carrinho. Pequenas atividades exigiam grandes planejamentos.

Nossa vida havia se tornado uma grande aventura, cheia de obstáculos, missões diárias a cumprir, estratégias a serem adotadas, planos de contingência e disfarces. Precisava ser leve e não desmoronar a um simples vazar de peito, uma fralda suja ou ao não entender alguém com inglês carregado de diferentes sotaques. Dezenas de situações que me colocavam em constante saia justa.

Alex seguia viajando a trabalho. Éramos somente eu e as crianças, na maior parte do tempo.

Procurava simplificar como podia a nossa vida. Algumas situações sem um outro adulto não eram passíveis de contorno, apenas enfrentamento. Como a ida todas as manhãs à escola. Interromper o soninho da Maitê e tirá-la da cama quentinha para levarmos o Tom à escola. Tentava otimizar outras situações. O banho era bem mais fácil a três. Colchões ao chão para dormirmos juntos. Área de brinquedos ao lado da cozinha.

Não podia combater a realidade, então aceitava e me adaptava.

Com o tempo contratei alguém para fazer duas a três horas de faxina na casa, uma vez por semana. A primeira faxineira que conheci, queria limpar a casa toda só com papel toalha. O custo comparado ao Brasil era extremamente alto (sem contar os rolos de papel toalha). O hábito de converter nossos gastos em dólar para a moeda brasileira ainda permanecia.

Água

Nos arredores de nosso condomínio existiam braços de mar e baías. As calçadas corriam à beira das águas. Era delicioso por ali caminhar, especialmente nos finais de tarde, após o sol ficar mais manso. A brisa morna soprava abraços. Caminhávamos sempre próximos à água, com nossa atenção penetrando sua transparência e procurando por vida marinha. Na primeira vez que fomos acompanhados por uma raia, ela parecia querer prosear sobre algo que lhe acontecera no dia. Com o tempo, vimos também peixe boi e golfinhos. As crianças cada vez conheciam mais e mais sobre o mar.

Às vezes, sentia estar em eternas férias. A rotina era: escola, parquinho e piscina. Aos finais de semana: praia, piscina e Orlando. A vida era leve, a roupa também: chinelo de praia, chinelo de couro, chinelo de strass, vestido de alcinhas, vestido de flores e biquíni por baixo.

Muito pé descalço, vestir calor de sol e sal de mar. Muita pele aparente, permitindo sentir vida. Não me habituei aos óculos de sol. Não queria o filtro entre eu e a experiência vibrante das cores que me esbarravam a cada esquina.

Em uma das visitas que minha mãe nos fez, fomos caminhar na praia, sem intenção de entrar no mar. O sol estava na dose correta, não era veneno para a pele, e sim cura para dores no corpo e na alma. Água cristalina e serena. Impossível resistir à carícia que ela oferecia. Magnetismo tamanho que não pensamos duas vezes antes de mergulharmos, mesmo sem as roupas apropriadas. Guardo aquele dia com muita saudade. Naquele mergulho, onde o tempo parou. Aquelas águas foram cenário para nossa felicidade brincar.

Maitê deu seus primeiros passos aos nove meses. Não tinha tempo a perder. Decidida, seu nome, e iniciativa, seu sobrenome.

Quando ela estava com um ano e meio, contratamos um professor de natação para vir à nossa casa. Esse constante estar na água me gelava a espinha. Minha leonina, destemida, não aceitava dar as mãos na piscina ou na praia. Ela escalava as cercas da piscina e nossos corações perdiam a cor. Rapidinho, minha leoa já nadava como peixinha.

Incontáveis as vezes que Alex chegou do trabalho e foi direto mergulhar na piscina. Deixava as roupas pelo caminho e se juntava às crianças. Tínhamos a melhor piscina do mundo. Tinha o tamanho certo para nosso pequeno cardume.

Felicidade por cuidar de meus filhos. Sem interferências, sem opiniões alheias, sem conflitos.

Cansaço por cuidar de meus filhos. Tive sim, momentos que desejei dividir as responsabilidades.

Preenchia-me de amor puro, inocente e intenso, todo só para mim. Nutria-me, mas em alguns momentos me devorava. Doava-me toda, mas sabia que eu não bastava.

Encontros

Apesar do amor abundante vindo de meu marido e de meus filhos, em certos tempos me sentia só e desconectada de todo o meu entorno. Era diferente não ter nenhum vínculo com as pessoas e com os lugares. Estar em lugares lotados de pessoas circulando e estar só. Retiro em companhia.

Sou boa de silêncio. Gosto de estar só, mas naquele momento estava só, não por opção. Aprendi a escutar silêncios por trás de palavras e palavras por trás de silêncios.

Silenciosamente, descobri a cumplicidade pairar. A razão de estarmos naquele lugar era semelhante para a maioria das pessoas. Laços sutis entre eu e aqueles que não sabia nomear, e nem precisava. Laços pintados de coragem e saudades.

A maioria dos moradores em nossos arredores na Flórida eram imigrantes ou filhos de imigrantes. Os americanos eram minoria. Brincávamos que vivíamos bem próximos dos Estados Unidos.

Havia os que já possuíam uma vida de conforto, o trabalhar já não era necessidade, então viviam do que já possuíam. Alguns excêntricos, ostentavam suas conquistas materiais, cirurgias plásticas e bronzeados.

Existiam os investidores. Seus vistos vinham da participação financeira em pequenos e médios negócios. Os estudantes, inscritos em cursos de inglês, a fim de obterem os vistos de permanência nos Estados Unidos. Havia imigrantes de ótima formação em seus países: graduação e pós-graduação em boas carreiras. Essas pessoas não poderiam exercer sua profissão de formação nos Estados Unidos e se dedicavam a novos trabalhos ali. Arrisco que um misto de desconhecimento e frustração ao exercer esses novos trabalhos resultaram em alguns dos maus profissionais que conheci.

Imigrantes ilegais que haviam arriscado suas vidas. Maitê fez uma amiga, filha de cubanos, que atravessaram o mar em um pequeno bote. Não entendia como ela podia ter um irmão mais velho em Cuba e nunca tê-lo conhecido pessoalmente. Convívio virtual, feito de amor fraterno real.

Havia os imigrantes que compraram casamento. Americanos que se casavam em troca de milhares de dólares.

Conheci imigrantes ilegais que estavam nos Estados Unidos há mais de vinte anos e nunca haviam retornado ao seu país de origem. Fiz uma amiga que havia deixado o Brasil, fugindo da violência. Esteve sequestrada durante trinta dias.

O Green Card era o sonho de muitas pessoas na Flórida. Ele significava o direito de residência permanente nos Estados Unidos. Conhecemos sortudos donos de Green Card que foram presentados através da loteria.

Não conheci nenhum estadunidense que não tivesse os pais ou avós imigrantes.

Imigrar pedia coragem. Pessoas que deixaram seu país, sua família, às vezes seus filhos para possibilitarem uma vida melhor a um outro alguém. Eram pais e mães que confiavam a criação de seus filhos a familiares. Enviavam dinheiro mensalmente para que pudessem viver de forma mais digna em seu país de origem. Muitas vezes sem nenhum horizonte de reencontrá-los pessoalmente.

A realidade dos imigrantes ia de um extremo ao outro. Dos que estavam ali exclusivamente para usufruir dos luxos do local e dos que sofriam diariamente para galgar um futuro justo para quem amavam.

Acredito que todos estavam sempre fazendo o seu melhor. O melhor possível dentro de suas possibilidades, oportunidades, limitações, sejam físicas, culturais, educacionais ou emocionais. Penso que se eu estivesse na história de cada uma destas pessoas, entenderia e concordaria com suas escolhas. Se filha dos mesmos pais, se conhecido as mesmas pessoas que elas conheceram durante a vida ou passado pelas mesmas experiências, mesma educação e cultura, as escolhas delas seriam as minhas também.

O julgamento das escolhas e motivações, que trouxeram estas pessoas a viverem longe de sua pátria, cabia só a elas mesmas. Hoje reconheço estes sacrifícios como verdadeiras provas de amor.

Um dos pedidos que fazia em minhas orações era que pessoas do bem, que mantinham o coração aberto para se conectarem, entrassem em nossa vida. Eu e Alex nunca fomos pessoas com muitos amigos. Formamos na Flórida uma nova pequena família. Família diversa vinda de todos os cantos do mundo.

Ganhei uma amiga irmã, Ana. Dona de olhos cristalinos que veem a potência que mora em todas as pessoas. Me lembro de uma festinha só para as nossas famílias, com bolo e vela, onde celebramos os dez anos de remissão do câncer. Vitoriosa. Festejava o viver todos os dias.

Que presente são os encontros que nos inspiram.

E também os encontros que nos põem sem fôlego, porque nos espremem e nos fazem pequenininhos. Os encontros que nos incomodam são caminhos de reflexão. Refletem um pouco de nossas dificuldades, limitações, nos dando a oportunidade de aprendermos mais sobre nós mesmos. A vida alheia muito pode nos ensinar sobre nós mesmos. Trazem luz para as coisas que existem em nós e não queremos ver.

Nossa sociedade hoje deseja anestesiar desconfortos, quando eles têm potencial de nos desenvolver e nos fortalecer. Força que tem berço em dificuldades superadas. A dor pode ensinar e transmutar. Não é o único caminho de crescimento pessoal, mas é um caminho.

Minhas dores de infância seguiam guardadas. Não queria encará-las. Não achava que precisava. Estar longe de casa me ajudava a ignorá-las.

As histórias de vida são nascentes de aprendizados. Qual o valor da troca sincera de nossas experiências pela vida? Em um mundo ideal, deveríamos sair da pressa de viver e pausar para nos escutarmos mais. O falar sobre o que vivemos é etapa do processo de cura. O escutar sobre o que o outro viveu é exercício de empatia e é viver as infinitas possibilidades apresentadas pelo Universo, porém através do outro. Exercício que às vezes não acontece nem mesmo na relação entre pais e filhos. Sair dos papéis e ser simplesmente seres humanos. Conhecer as outras versões das pessoas que nos criaram é aprender sobre nós mesmos ou como nos tornamos quem somos. Partilhar e escutar é ato generoso. Respostas, soluções nem são necessárias.

O tempo passava e trazia com ele visitas. Família e amigos vieram nos visitar e ficaram conosco.

Demorei a entender que minhas expectativas eram diferentes das expectativas de quem estava nos visitando. Eu fazia os planos para as visitas pensando no que me deixaria feliz, se fosse eu a visita. Me frustrava. Eu não me conformava com quem não tinha interesse por ver a natureza de emocionar os olhos daquele local, porque preferia passar o dia fazendo compras. Contrariedade indigesta. Eu julgava. Eu me apegava ao meu gosto e não aceitava bem o do outro. Vontade de organizar o mundo e as pessoas nas minhas caixinhas mentais.

Levei um tempo para aceitar que minhas expectativas não eram as expectativas das pessoas que me visitavam. Simplesmente éramos pessoas diferentes. Minha vontade de oferecer o melhor, do meu ponto de vista, beirava ao desrespeito à individualidade do outro. O carinho pelo outro passava por aceitá-lo por inteiro, da forma que o outro era. Claro, com respeito às minhas limitações como anfitriã. Mas cabe aqui uma reflexão sobre a dificuldade em ambos os lados em dizer não.

A minha relação com meus hóspedes mais frequentes, mãe, sogra e sogro também ganhou uma intensidade e intimidade que não eram possíveis quando vivíamos no Brasil. As visitas, festas de família, almoços de domingo, não possibilitaram a convivência que acontecia quando vinham nos visitar.

Especialmente a convivência comigo, porque as crianças iam à escola e Alex ficava grande parte do tempo no trabalho ou viajando. Era eu quem permanecia e acompanhava. O que pareceu prejuízo, quando da notícia de nossa mudança, se revelou exatamente oposto. Acordar e dormir na mesma casa, fazer todas refeições, estarmos juntos e não temer o silêncio que surge naturalmente, conhecer pequenos hábitos e manias, ter conflitos, problemas de comunicação, enfim, estávamos presentes em todos os momentos, fossem eles bons ou ruins. Sim, desejei desaparecer em alguns, mas fiquei.

As oportunidades de nos conhecermos melhor eram muito maiores do que antes, apesar de estarmos na mesma família durante anos. Sabe quando parece existir o momento certo para as pessoas se mostrarem vulneráveis, falarem de suas dúvidas, preocupações e dores? Naturalmente, esses momentos aconteciam, porque o tempo não era limitado ou preenchido por uma lista de tarefas a cumprir. Se usávamos máscaras ou adotamos comportamentos, que não eram de nossa natureza, não era possível sustentá-los nestes períodos longos de convivência.

A versão autêntica e completa precisava emergir. O desejado e natural seria que esta nossa versão não fosse disfarçada para atender ao outro. Todos nós fazemos ideia do que o outro espera de nós, o que se espera de uma boa mãe, de uma boa filha, de uma nora adequada. E atendemos a estas expectativas para nos sentirmos adequados e merecedores de amor.

Não somos um algo só. Na nossa inteireza, somos muito mais. Somos complexos. Somos de tudo um pouco. E nada de nosso inteiro é inadequado, certo ou errado. Todas nossas características e emoções exercem funções, são úteis, mas para os momentos corretos. É inadequado eu utilizar minha força e raiva para reagir a um erro de meus filhos, porém esta mesma força e raiva é correta, para evitar uma injustiça, para defender uma vítima de violência desmerecida, por exemplo. As atitudes ou traços de personalidades só devem estar corretamente associados à correta situação.

Meus filhos cresciam distantes da família. Sentia medo de que pudessem se tornar estranhos, uns para os outros. Torcia às escondidas pela relação entre netos e avós. Partilhava fotos e vídeos diariamente. Comovente quando via que o elo se mantinha forte.

A presença de minha mãe em casa era presença de meu pai também. Era mais alguém para falar sobre ele, para contar seus gostos, desgostos, procurar por semelhanças entre ele e as crianças. Maitê sempre o fazia presente em nossas vidas, colocando questões sobre quem ele era, nas horas mais inesperadas. Qual o sabor do sorvete que o vovô gostava? O vovô brincava do que? Sonhei com o vovô e ele foi na piscina comigo. Pena eu não ter visto este encontro de avô e netos. Penso que se encontravam num tempo e local, comum e íntimo, onde a racionalidade dos adultos era barreira. Meu pai era conjunto de memórias. E não seríamos todos?

Para os pais de Alex e minha mãe, pedia que partilhassem memórias de suas infâncias. Histórias engraçadas de quando tinham a mesma idade que meus filhos. Histórias que mostrassem as diferenças de geração e as semelhanças do ser criança. As aventuras da avó, na ida a cavalo para a escola. As brincadeiras do avô, no local de construção de ferrovias, onde o bisavô trabalhava. O dia que a avó encontrou uma cobra no cobertor.

Tempestades

Os apuros domésticos aconteceram algumas vezes. Em uma ocasião, Alex viajava a trabalho. Enviou-me uma linda foto dele na iluminada Fontana de Trevi, em Roma. Partilhava comigo a beleza do monumento italiano após um civilizado jantar de adultos em um requintado restaurante, com direito a antepasto, primeiro, segundo e terceiro prato, contorno, sobremesa e um café ou digestivo. Mal eu havia comido os restos da refeição das crianças quando, minutos depois, escutei um som desconhecido e imprevisto que vinha da cozinha. Assustada segui o barulho. Um cano estourado trazia ali, ao vivo, a nossa fontana particular.

Desconhecia a localização do registro. Pensei em correr até a portaria do condomínio para pedir ajuda. Dúvida: corro sozinha, com a bebê e com o pequeno? Corremos os três. Enquanto corria, pensava: como digo cano e vazamento mesmo em inglês? Final feliz. Um anjo disfarçado fazia plantão na portaria.

Conhece alguma mulher que recebeu, silenciosamente e diariamente, uma estrutura filosófica maléfica, que a fez acreditar que ser uma boa mãe era dar conta de tudo? Eu fui uma delas. Mesmo estando sozinha, só me aceitaria na incumbência de ser mãe se fosse mulher maravilha.

Crianças na banheira no andar superior da casa. Queria ganhar tempo e preparar o jantar. O espaço da cozinha é muito mais amigável para o Alex. Ele é afetuoso e cuidadoso no preparo das refeições.

Eu sou amiga do prático e rápido. Prepararia algo na frigideira. Frigideira em posição, cabeça já sofrendo com o correr do tempo. Às pressas, antes que algo pudesse acontecer com os pequenos na banheira, óleo em mãos. E se alguém escorregasse, caísse, tentasse sair da banheira? Liguei o fogo, coloquei o fio de óleo quando uma das crianças me chamou. Subi as escadas o mais rápido possível. Me pediram ajuda para encontrar o sabonete mergulhado na água.

Um barulho ensurdecedor veio da cozinha. Era o alarme de incêndio. Corri para o andar inferior e as chamas subiam até o teto. Usei toalhas de mesa para abafar o fogo e uma vassoura para calar o grito do alarme que denunciava: mãe irresponsável. Fui acalmar as crianças que me chamavam preocupadas. A fumaça havia chegado até elas. Novamente o grito do alarme. Escorreguei escada abaixo e o fogo estava de volta. Desta vez havia trazido toalhas de banho comigo. Concedi minutos para eu ter certeza que havia extinguido o fogo. Ufa! Subi muito nervosa. Me esforcei para parecer ter tudo sob controle, como se o teto preto fosse desaparecer por encanto.

Por dentro estava aos prantos os abraçando e pedindo perdão pela minha irresponsabilidade. Naquela noite, mantive os olhos estalados sobre as crianças. Quis zelar pelo sono deles e abrandar um pouco de minha vergonha e culpa. A missão era a de substituir minha conversa interna de destruição por acolhimento para mim mesma.

A Flórida é muito famosa por seus furacões. Existe um alarme que soa na tv, rádio e celulares avisando sobre o risco de furacão e os procedimentos que os moradores devem seguir para se manterem seguros. Nas ruas, sinais permanentes apontam quais são as rotas de fuga, caso seja necessário evacuar a região. Mantinhamos em casa uma grande caixa, com pilhas, fogareiro, botijão pequeno de gás, lanternas, comida enlatada, água e outros. O que sempre me incomodou muito foram os apitos, para o caso de soterramento. Diziam que era o preço por se viver neste paraíso.

Na passagem de uma grande tempestade, estava a sós com as crianças. A noite, lá fora, a chuva era torrencial. As palmeiras e coqueiros seguiam a ventania e se dobravam até suas folhagens tocarem o chão. Assustador.

Arrastei móveis contra janelas e portas. Coloquei cunhas de madeiras compradas com a intenção de reforçar as portas da casa, para ocasiões de ventania e tempestade. Sentíamos os trovões no tremor do chão. Sempre fui uma pessoa calma, mas neste e outros episódios por que passamos, algo dentro de mim me sussurrava palavras na intenção de me lembrar que eu era tudo que as crianças tinham naquele momento. Era a responsabilidade agitando a minha calma. Queria transparecer confiança e segurança. De nada serviria que nós três ficássemos em pânico. Tenho ao meu favor uma mente que consegue se manter consciente no momento da crise. Depois da resolução, é claro que a dor de cabeça acontece e é severa, consequência da tensão vivida.

Fiz um pacto silencioso entre eu e as crianças, mas que elas nunca souberam. Não mentir para meus filhos. Claro que entregar a verdade de acordo com o desenvolvimento emocional, maturidade, mas não faltar com minha sinceridade. Me vi a maior parte do tempo sozinha com as crianças. A mochila da responsabilidade pesava. Em algum momento notei que a Maitê só conhecia meu colo e de Alex e, esporadicamente, dos avós. Que o vocabulário deles em português estava limitado às minhas palavras e de Alex. Eu estava ciente de que as pessoas na vida deles iam e vinham, eu era a única pessoa fixa na vidinha deles. Não poderia suportar a ideia de que a confiança deles em mim não fosse total. Nem as mentirinhas de brincadeira eram permitidas. Algo precioso estava sendo construído e deveria ser zelado, com base sólida no amor e na confiança.

Passei então a conversar com as crianças sobre as crises e dificuldades que enfrentamos. Dividia um pouco com eles as minhas inseguranças, mas após estar centrada e haver refletido sobre a ocasião e tentando ser coerente com a maturidade deles. As dificuldades não deixariam de existir se eu não falasse delas. Elas se tornaram repertório e ferramenta para aprendizado. Éramos nosso próprio instrumento de crescimento.

Esses episódios foram lembretes de minha vulnerabilidade. Por mais que me esforçasse em criar manobras para fazer nossa vida mais equilibrada e previsível, eram bem poucos os fatos sobre os quais eu tinha algum controle. A realidade sempre foi a de que eu não passava de ser um ser humano completo, com qualidades e vários aspectos a serem trabalhados. Com luz e sombra, com facilidades e dificuldades.

Os acontecimentos inesperados eram apenas sinais da impermanência da qual fazíamos parte.

Nada permanecia da mesma forma. E que bom! Que chatice seria se nós não mudássemos? O sol de verão e o colorido de primavera são ainda mais celebrados quando conhecemos a sua ausência. Só conhecemos o que é a abundância porque já tivemos contato com a falta.

Torcia que a impermanência do cano de água reparado fosse maior do que nossa permanência naquela casa.

Precisava agradecer mais aos dias de calmaria, os dias que passamos em segurança, os dias que amanhecemos com saúde. Era preciso agradecer todos os dias porque havíamos acordado e estávamos juntos.

Lições

Cada um faz a leitura da realidade de acordo com seu trajeto de vida, da coletânea de experiências carregadas em si. Todas as situações, todas as interações com outras pessoas, atravessam nossa história. São como lentes colocadas em nossa vista, que nos ajudam a interpretar e traduzir o que vemos.

Queria que meus filhos desenvolvessem olhares leves, que às vezes prestassem atenção aos detalhes e às vezes tivessem o poder de enxergar as situações à distância. Como fazem os pássaros, do alto, observando a situação abaixo deles. A visão à distância tornava pequeno — diante da linha do tempo da vida toda que teriam — o evento com que se defrontavam. Um afastamento interno, entre quem eu sou e o problema enfrentado.

Ficou muito evidente que havia outras perspectivas para tudo o que víamos. Pessoas com diferentes histórias de vida e diferentes visões. A vida soprava segredos: menos julgamento, comparação e mais aceitação, presença, contemplação. A humildade de reconhecermos que daquilo não sabíamos. A inocência do direito das perguntas mais simples, que às vezes até nos pareciam tolas.

A apreciação da liberdade da maneira de ser e viver do outro trazia liberdade a mim mesma e aos meus. Corrijo: seria melhor dizer, apreciação da diversidade, como ferramenta de acolhimento às minhas próprias peculiaridades. Arrogância a nossa em opinar sobre o viver do outro sem perceber que a regra que impomos ao outro, nos tolhe também.

O entendimento que o real desapego é o da ideia de que as coisas devem acontecer da nossa maneira. O mundo não foi feito para me agradar.

Todas as vezes que me deparava com uma cena, uma realidade que me chamava atenção, que me causava estranheza, encontrava ali um convite à reflexão. Eu queria entender o porquê deste sentimento.

Chamou minha atenção o número de cadeirantes que dividiam comigo os trajetos ao supermercado, à farmácia, enfim, a cidade possibilitava uma vida digna a eles. Participavam da vida cotidiana de forma independente, sem a ajuda de outra pessoa.

Presenciei uma cena bonita em um domingo na praia. Estávamos na areia quando uma grande família de cubanos chegou (aqui cabe explicar que meu marido fala muito bem espanhol e sabe diferenciar todos os sotaques e de onde são).

Trouxeram comida, cadeiras, bola, guarda-sol, churrasqueira e tudo que fosse necessário para ali permanecerem até o sol se pôr.

Infraestrutura que chamava a atenção de quem estava por perto. Quando parecia mais nada faltar, quatro homens trouxeram um colchão e uma cama. Logo atrás, um homem tinha em seus braços uma frágil senhora, talvez a matriarca da família. Se asseguraram de acomodá-la da forma mais confortável possível sob uma sombra.

Por um segundo, questionei-me se aquelas pessoas tinham algo que eu não possuía dentro de mim. Envergonhei-me do meu pensamento. Algo que não há dinheiro que compre. Valores e sentimentos que são invisíveis e inaudíveis. Claro que, como disse anteriormente, a interpretação desta cena atravessou-me e ganhou significado de acordo com a minha própria história. Quem sabe, se eu estivesse presente desde os minutos que antecederam a chegada desta família, poderia escutar esta senhora a implorar por visitar a praia porque o havia feito há anos atrás. Mas escolhi ver da forma mais poética possível.

Coube a mim interpretar, então o fiz com olhos afetuosos. Gestos de amor sempre inspiram. Não a carreguei em meus braços, mas a carregarei sempre em minhas lembranças.

Nesta praia assisti batismos. Daqueles onde adultos com vestes brancas, têm sua fronte tocada, seus corpos mergulhados e a sua fé confirmada. Minha fé de que as lições, os extraordinários pequenos milagres estavam à minha volta nos mais ordinários dias, só crescia.

Numa manhã, estávamos eu, Alex e as crianças e mais ninguém na praia. Caminhávamos quando avistamos um buraco na areia. Estava afastado do alcance das ondas. Nele estavam cinco peixes vivos, mas em seus últimos minutos de vida. A água do buraco já havia sido sugada pela areia.

O caminho lógico de pensamentos percorrido foi o mesmo para nós quatro. Os peixes entraram no buraco enquanto a maré estava alta e não seguiram a água quando o mar baixou. Agora estavam presos e cabia a nós salvar a vida daqueles peixes. Cada um de nós segurou um dos peixes e correu na direção da água. Não calculamos o quanto seria difícil segurá-los. Simplesmente os agarramos e corremos para a água. A missão era clara e não tínhamos tempo a perder. Devolvemos quatro peixes ao mar. As crianças estavam orgulhosas do ato heróico. Correram na direção do buraco a fim de buscar pelo último peixe, quando uma voz autoritária nos impediu de prosseguir. Pescadores. Havíamos devolvido ao mar os peixes que aqueles homens haviam capturado. Vergonha e orgulho se acotovelaram dentro de nós.

Penso que a verdade não pertence aos homens. Nosso tamanho não permite conhecê-la. Somos parte de algo muito maior. Como célula em corpo.

Na justiça dos homens, o julgamento seria sobre a nossa ação, na justiça do Universo, o julgamento seria sobre a nossa intenção. Pedimos desculpas aos pescadores e nos afastamos. Confiança de que fizemos nosso melhor com o que se mostrou como verdade no primeiro instante.

As crianças celebraram o primeiro Halloween na escola. Os pais estacionavam seus carros super decorados. As crianças passavam de carro em carro coletando guloseimas em suas cestinhas. Era divertido assistir as crianças nas mais adoráveis fantasias em busca por chocolates, balas e pirulitos. Maitê estava de fada. Vestido branco rodado. Thomas era o Bumblebee, um dos Transformers. Estava em um macacão amarelo e preto que imitava características de metal.

As bruxas estavam soltas. Eu e minha mãe tivemos nosso primeiro grande conflito em terras norte-americanas. Seria o primeiro Halloween de minha mãe. Eu havia comprado uma fantasia para ela, um vestido de bruxa vermelho. Naquele dia, antes de ir trabalhar, Alex comentou sobre algo na geladeira que estava próximo da validade.

Nosso desentendimento começou quando ela quis solucionar o problema na geladeira, enquanto eu tinha como expectativa que ela passasse o tempo com as crianças, enquanto eu me ocuparia da geladeira. Sei que as falhas de comunicação de expectativas e intenções se acumularam. Discutimos.

O desejo de minha mãe em me ajudar se traduziu em incômodo por eu estar sendo muito autossuficiente. Para mim, a minha independência, minha capacidade em estar dando conta de tanto, seria motivo de orgulho. Imagino que para minha mãe esta mesma independência se traduzia em não necessidade de tê-la por perto, de não precisar de sua ajuda. Enfim, um grande conflito na forma de expressarmos afeição. Sentimentos nobres verbalizados de forma incorreta, que resultaram em sua ausência na festa do Halloween e em dias de silêncio.

Aos dois anos, Maitê foi para a escolinha. Três horas na escola pela manhã. Foi a primeira vez que me vi sozinha desde seu nascimento. Ir ao banheiro, tomar um banho, ir ao mercado, tudo fazia com minha pequena ao meu lado. Voltava a me reconhecer além da função de mãe. Escutar novamente minha voz interna, sem passar pelo filtro da maternidade.

Senti-me papel em branco. Muitas possibilidades para poucas horas diárias. Voltei às atividades que me davam prazer como o café da manhã com amigas, passeios de bicicleta, caminhadas na praia, visitas à biblioteca, ida ao shopping. Voluntariei-me na biblioteca da escola do Tom. Era bom voltar a ter conversas com adultos.

Com Alex em casa, ela ganhava um novo ritmo. Excelente pai. Incansável nas brincadeiras com as crianças. Negar um pedido de brincar, uma ideia a explorar, um mergulho na piscina, um chamego, colo, uma receita nova, uma visita ao playground? Sempre dizia sim. O não era meu. Ele seguia para um extremo e para equilibrar a balança, eu seguia para o extremo oposto. Acredito que pelo fato de passar muito tempo longe de casa, desejava ter um tempo bom, sem embates com as crianças. Alex assumia a cozinha, fazia churrascos à beira da piscina, dava os banhos, colocava as crianças para dormir. Pai canceriano, carinhoso e protetor.

Meu companheiro. Sempre soubemos do valor do que estávamos construindo ali, como família, como parceiros de vida. Seguimos o fluxo do ensinar e aprender com as crianças. Sabíamos qual o tipo de relação queríamos compor a quatro.

Passamos a jogar luz nas respostas que já estavam registradas em nós e nos perguntar se elas ainda eram válidas para nosso momento presente, para quem nos tornamos com o passar do tempo e para quem desejávamos nos tornar. O fato de estarmos distantes do lugar de origem, de nossos grandes condicionamentos, nos ajudava.

Nossos filhos eram caminho de autoconhecimento. Os comportamentos que nos eram incômodos, nos falavam algo importante. Na maioria das situações eram as crianças quem nos ensinavam. Crianças ainda não carregam a estrutura filosófica de nossa sociedade nas costas.

Livres, autênticas, sinceras, de natureza intacta. Também fomos assim um dia. Mas o amor condicionado ao comportamento, às conquistas, foi nos afastando de nossa real natureza.

Estava disposta a aceitar o convite de meus filhos. O convite para a reflexão e questionamento de todos os meus conceitos. Comportamentos apreendidos na intenção de me adequar às normas. O esquecimento de paixões que tivemos, mas que de acordo com nossa sociedade capitalista, não teriam futuro, não havia sentido em serem alimentadas e mantidas.

Encontrar respostas próprias a questões sobre a vida, a morte e sobre Deus. Estava carregada de opiniões, porém não distinguia quais eram realmente minhas e quais foram simplesmente herdadas e que eram compulsivamente repetidas e repassadas.

Tínhamos a oportunidade de construirmos nossas próprias respostas.

O verdadeiro novo viver estava na nova forma de ver.

Tempo de voar

A vida seguia. As crianças cresciam.

Durante uma de suas viagens, Alex me ligou e, em tom de brincadeira, me perguntou: quer morar em Paris?

Adorei a piada, mas meu pensamento se manteve no que fazia no momento, não se entreteu nem por segundos com aquela fantasia.

Aquela fala cômica foi ganhando forma, até que o convite se concretizou. Proposta formalizada. O responsável por toda a operação da empresa na Europa o convidou para assumir a posição de uma executiva francesa em Paris. Ele assumiria a gestão da operação da França e outros países da Europa e África. No escritório em Paris, onde ele trabalharia, eram mais de cinquenta funcionários. Todos franceses.

Inicialmente, tudo no que pensava era na Torre Eiffel, gourmet e glamour. Paris enche a boca e brilha os olhos. Já me sentia até mais chique. A famosa cidade luz sempre foi tão coisa de cinema.

Nós já havíamos visitado Paris, bem antes do Tom nascer. Alex estudou em Grenoble, uma pequena cidade no sudeste da França. Passou um mês na cidade, como extensão internacional de um

MBA da Universidade de São Paulo. Não fui a Grenoble, mas o encontrei em Paris, ao final do curso.

Cheguei um dia antes que Alex. Um dia de aventura só meu em Paris. Dia pleno de risos de mim mesma, de cultura e de deslumbramento. A sensação ao sair do metrô e pisar pela primeira vez em Paris foi de maravilhamento. Cena de filme, onde o personagem fica imóvel no centro da cena, com sorriso congelado, olhos hipnotizados e brilhantes, enquanto a câmera gira ao redor, demonstrando que todo seu entorno era encantamento. As bolhas no pé ao final do dia acusavam o caminhar incessante. Dia de tropeços em arte e história.

Aquele dia era argumento suficiente para dizer sim ao convite de mudança. Quantas pessoas devem receber um convite como esse?

Nunca a ideia de viver fora do Brasil esteve presente em meus planos. Agora iríamos partir para nossa segunda mudança, para nosso segundo país após o Brasil.

O contrato seria por três anos. Iríamos como expatriados. A vida de expatriado pode ser vida de realeza. Todos os custos pagos pela empresa. A empresa seria responsável por qualquer gasto com educação. Matrícula, mensalidade, materiais, uniformes, viagens e qualquer outro custo, seria coberto. Pagariam também por meus estudos, curso de línguas ou uma pós-graduação em minha área. Plano de saúde internacional, locação de um imóvel de nossa escolha, carro, estacionamento, pedágio e gasolina, contas de água e energia. Até telefone e tv por assinatura. Passagens aéreas em classe executiva, duas vezes ao ano. A lista de benefícios era extravagante.

Enfim, não bastava ser Paris, toda a proposta era irrecusável.

Não éramos ingênuos, havia um preço, mas ainda não sabíamos o quão alto seria.

Tivemos o direito a uma viagem exploratória. Durante uma semana vimos as opções de escola, de imóveis e as diferentes regiões da cidade. Recolhemos informações para as futuras escolhas.

Eu nunca havia chamado uma babá para cuidar das crianças. Maitê estava com dois anos e nove meses, Tom tinha seis anos. Eu amamentava Maitê. Eu a amamentava na hora de dormir e, esporadicamente, durante o dia, quando ela sentia medo ou dor. Assim, nossa viagem nos preocupava. Tanto a separação, quanto quem poderia cuidar das crianças enquanto viajássemos. Convidamos as avós para essa aventura. Minha mãe e minha sogra vieram juntas do Brasil para cuidarem dos netos.

Tom usou o ônibus escolar para ir e retornar da escola. Maitê ficou em casa. As avós não se atreviam a dirigir, tudo era diferente demais para elas. Elas não falavam inglês. Amigos nossos, que não falavam portugues ou espanhol, nos ajudaram também. Até em festa infantil levaram as crianças e as avós.

Potente o aceitar a chance de superar limites, até porque a maioria deles são pensamentos recorrentes sobre nós mesmos. Admirei as "babás" que aceitaram prontamente o desafio e aproveitaram a oportunidade para estreitar laços, entre elas e com os netos. Até chapéus iguais elas usaram, dizendo ser o uniforme das babás. Tenho certeza que os apuros, medos, dúvidas e apertos aconteceram, mas eles não chegaram até nós. Tempo exclusivo entre netos e avós.

Após a viagem, algumas decisões foram tomadas, como a escola e a região onde moraríamos. A educação das crianças sempre foi a prioridade e todas as decisões se basearam na localização da escola. Manteríamos o currículo da escola americana. Pois, ao final do contrato, retornaríamos aos Estados Unidos.

Iniciamos nossas aulas particulares de francês. A língua francesa era bela melodia para mim. Perguntei ao professor se após três anos morando na França eu seria fluente na língua francesa. Ele simplesmente me disse que não. Extremamente motivador. Extremamente parisiense.

O portal do espaço e tempo estava aberto. Uma metade minha se mantinha em um lado do portal, presente no mesmo lugar e tempo, enquanto a outra metade já havia cruzado a passagem, já vivia no futuro, no que seria. Estranho viver com data de partida marcada, na espera do fim e do começo também. Sabe aquela pessoa que te parece bacana e que sinaliza ser alguém com potencial para se formar uma boa amizade? Era inevitável o pensamento sobre o iniciar e investir em algo, sabendo que o fim logo chegaria. Acho que esta era uma consideração recíproca, especialmente quando pensava em uma nova amizade para as crianças. Parecia cultivar sofrimento pela separação à vista.

Vontade de aproveitar ao máximo o que sempre esteve ao meu alcance, à minha disposição, mas que sempre foi deixado para depois. Eu havia me enganado acreditando que as chances estavam garantidas para mim. Por que não estive mais com minhas amigas? Por que não mergulhei mais nas segundas-feiras no mar? Por que não fizemos aquela viagem à ilha que estava ali ao lado? E o voo de paraquedas sobre o mar que tanto queria fazer?

As possibilidades eram infinitas, mas o tempo não. Nem antes e nem naquele momento. Fiz o que foi possível com o que a vida me permitiu.

Sabia que sentiria saudades de tudo, inclusive de quem fui naquele lugar. Fui garota de praia, mãe que perdia a cabeça, fui amante do mar, dona de casa, mulher faz tudo, fui quem fazia escândalos com sapos em nossa piscina, fui mal interpretada, fui ignorada, fui criança, fui bronzeada, fui local, fui estrangeira, fui falta, fui vulnerável, fui fortaleza, fui abundância de primeiras vezes, fui coragem e fui coragem de novo.

Conheci mais de mim e abri mão de um pouco de mim. Foi tudo certo. Foi como deveria ter sido.

Sentia gratidão por cada segundo ali vivido, por cada dificuldade, cada erro, cada conquista e por toda a superação. Gratidão a cada pessoa que nos ajudou, que me acolheu e acolheu os meus.

As experiências de verão mais significativas que tive na Flórida, foram aquelas que aqueceram meu coração e contribuíram com a minha humanidade. A vida evocou mais presença e diversão.

Pediu que eu fosse mais escuta e mais leveza. Convidou-me a me divertir mais, a andar mais descalça, a gozar sol e vento, a ser comunhão com a natureza e suas inconstâncias.

Afetuosamente, fui conduzida a sentir mais a vida que pulsava em mim e à minha volta. A desfrutar de meu corpo exatamente para sentir do que era feita e permitir a experimentação de minha existência. Matéria-prima chamada vida que atravessa corpos, nossas ferramentas de leitura do mundo. Fronteira entre minha individualidade, o meu universo e todo o universo que habito.

Nestes quase três anos, fui agraciada com o lembrete do prazer em estar viva e celebrá-la. Adaptei-me a uma vida mais solitária, porém sentia me reconectar comigo mesma e, de alguma forma, com as outras pessoas ao meu redor. A vida ali havia sido divertida e suave, tão suave que eu levitava e perdia de vista minhas mais profundas dores.

Em nosso último dia em Miami, saímos para caminhar na praia. Fomos então presenteados com o encontro com uma tartaruga recém-nascida. Ela começava com luta, sua grande jornada pela areia quente da praia a caminho do mar. Tão frágil, indefesa e ao mesmo tempo, potente e determinada. Sabia seu destino.

Sussurrei: obrigada pequena tartaruga. Você consegue e nós conseguiremos também.

Outono em Paris

A França é cenário de sonhos. Dos que sonhamos dormindo e dos que sonhamos acordados.

Paris é uma cidade que domina apaixonadamente e sem consentimento os nossos sentidos.

Sentido de caminho, orientação e perspectiva; sentido de sentimentos; sentido de sentir através do corpo; sentido de lucidez e consciência.

Cidade luz. Cidade do amor.

Epicentro cultural, histórico e gastronômico.

A mais bela das mais belas cidades do mundo.

Pouso

Alex chegou antes em Paris. Voou na frente para preparar nossa nova morada. Foi também conhecer o escritório e as pessoas com quem trabalharia. Desta vez foi só ele quem morou no hotel enquanto o apartamento ficava pronto. A mudança foi diferente: tínhamos uma pessoa para recepcionar os móveis que compramos, outra para montá-los e alguém para as instalações que fossem necessárias, desde lustres a eletrônicos. Estávamos bem amparados.

Chegamos em Paris beijados pelo sol. Havíamos passado o mês de julho em Orlando. Nossa casa em Miami já havia sido desmontada. A maior parte da mudança havia ido para um depósito e parte iria de avião para a França. Na bagagem, livros e roupas.

Fomos viver em um apartamento luxuoso, na cidade de Neuilly-sur-Seine, divisa com Paris. Sur-Seine, acima do rio Sena. De onde se avistava o Arco do Triunfo.

Morada em um prédio estilo Haussmann. Seis andares de arte expressa arquitetonicamente e cravejada de história.

Nunca havia estado em um apartamento tão belo. Pé direito altíssimo, janelas por todos os lados, que seguiam do chão ao teto. Portas de entrada duplas, de madeira maciça, que pesavam nos braços. Reformado, mas de forma a conservar e valorizar sua história. Luxo nos detalhes e nos entalhes das madeiras esculpidas, no mármore das lareiras, nos rebuscados gessos das paredes e tetos. Cozinha imponente, de granito e piso de pedras pretas. Estreava para a sala de jantar, através de gigantescas portas de correr. Das janelas internas, a vista era para o jardim interno do condomínio, para mim, mais castelo. Das salas, avistava-se o Bois de Bologne. Imenso coração verde onde caberiam dezenas de Parques do Ibirapuera. No inverno, suas árvores despidas revelavam a dama de ferro, a bela Torre Eiffel.

Nem nos meus mais ambiciosos sonhos imaginaria um dia viver em um lugar como aquele. Cresci em um bairro que estava na divisa entre Osasco e Carapicuíba. Bairro humilde da Grande São Paulo. Estava em Paris e minha vizinha de porta era a madame proprietária do famoso Moulin Rouge.

Foi ela a primeira pessoa que encontramos. Cheguei com as crianças e as malas. Chaves em mãos para abrir pela primeira vez a porta de casa, eis que aquela senhora requintada, bem vestida, de pele bem cuidada e bonito penteado perguntou quem éramos, arqueando as sobrancelhas.

Não foi bem um tom de boas-vindas, mas de averiguação. Séria, manteve distância. Eu era sorriso largo, estava animada em conhecer nossa casa. Perguntou-me se ficaríamos naquele mês de agosto na cidade. Muitos restaurantes, padarias e outros pequenos negócios fechavam por todo o mês de agosto. Paris estava cheia de ausência. Os parisienses haviam viajado. Para novos moradores como nós, era oportunidade de transitar com mais calma.

No Bois de Boulogne, parque em frente à nossa casa, estava o museu Louis Vuitton, o Parc de Bagatelle, o local onde ocorreu o vôo histórico de Santos Dumont e outras atrações. Dentre elas a atração número um das crianças: o Jardin d'Acclimatation.

O Jardin d'Acclimatation era uma grande área de lazer com passeio a cavalo, fazendinha, oficinas para as crianças, parquinhos, trenzinho, áreas verdes, apresentação de marionetes e espetáculos, tirolesa, passeios de barquinho, restaurantes e um grande parque de diversões tradicional no centro.

Lá as crianças tiveram os primeiros contatos com a nova língua e eu pude observar as famílias. Passeio feito com suas melhores roupas. Raros eram os turistas no parque e na região onde fomos morar.

Ninho Francês

Fui notando um grande contraste do ser criança ali, em relação ao que havia conhecido nos Estados Unidos. Crianças descalças, subindo em árvores, fazendo escaladas e malabarismos arriscados. Uma fila longa de crianças na porta do banheiro. Estavam ali para usar banheiro e também para repor, diretamente da pia, a água de suas garrafas.

As crianças brincavam mais livres, independentes, e se arriscavam mais. Ao vê-los, recordei-me da criança que fui no Brasil.

Tom e Ma se divertiram no playground, nos sprays de água e na tirolesa. Fizeram até curso de culinária. Não era nada mal morar em frente a um lugar com tudo que qualquer criança mais gosta. Era nosso passeio quase diário durante aquele mês de agosto.

Outro exemplo da diferença no cuidar das crianças foi notado ao levarmos as crianças para o Les invalides, o Museu das Armas. Mergulho na história militar da França, com visita imperdível à ambiciosa e egocêntrica tumba de Napoleão.

Uma parte do museu estava sendo restaurada e, como curiosidade, o museu criou uma atividade na área externa, que explicava todo o processo de restauração, inclusive com os materiais e ferramentas utilizados no projeto. Além da exibição educativa, havia uma área para manusearmos os materiais e ferramentas.

Os funcionários do museu entregaram nas mãos de Tom e Ma enormes serrotes e martelos, para experimentarem o que seria o trabalho como restaurador. Foi inevitável a comparação do que havíamos vivido nos Estados Unidos. Lá certamente teríamos recebido folhas de consentimento e responsabilidade e os materiais de proteção — como luvas, capacete e óculos de proteção — seriam obrigatórios.

Havia lido, anos antes, um famoso livro que abordava a educação francesa e dizia que as crianças francesas não fazem birra. O livro dizia que os pais franceses não se adaptavam às crianças e sim as crianças que deveriam se adaptar à vida de seus pais. Não acredito no rótulo e na massificação da forma de educar de uma nação inteira. O que notei, repetidas vezes em meu círculo de convívio limitado e de determinada classe social, foram crianças mais independentes. Livres no brincar, mas também com responsabilidades e deveres mais precoces.

Nas ruas, todos usavam patinetes. Adultos e crianças os utilizavam como transporte. Vi crianças com menos de dois anos sobre rodinhas, em grandes cruzamentos.

Sentia uma austeridade maior na forma de cuidar. Rigidez, por exemplo, em não permitir snacks após a escola. Do almoço iam diretamente ao jantar e assim provavam de tudo, pois a fome era grande.

Via muitas regras quanto ao comportamento, muita etiqueta.

Viver em Paris em condições tão privilegiadas era algo que jamais havia imaginado. Essa distância entre quem eu era e onde eu estava, me levou a manter uma atitude de desapego. Eu usufruía de tudo o que podia, mas sem me identificar ou me tornar dependente. Eu aproveitava todas as oportunidades que se apresentavam em minha frente, mas ainda me via separada daquele mundo. Estava cheia de disposição para viver algo bom durante nossa vida na França, me sentia em harmonia com o lugar e com as pessoas com quem convivia, mas sabia que estava só de passagem.

O não pertencer me fazia sentir livre como jamais havia sido. Liberava-me para ser eu mesma. Não precisava me adequar a quase nada.

Indescritível o que minhas papilas gustativas saborearam vivendo na França. Facilmente abandonamos o pão cubano pré congelado, o melão sem sabor e o *mac and cheese*. Fartura de frutas suculentas, verduras e legumes frescos, visitas diárias às boulangeries e patisseries. Croissant, baguette, brioche, pain aux chocolat, queijos, crêpes, fondue, mil folhas, macaron, raclette, tartiflette, croque monsieur, quiche e a lista de tentações não acabava. Descobrir o que era um autêntico chantilly no Castelo de Chantilly. Tudo era muito bom.

Ganhamos intimidade com todas as delícias francesas e as incluímos em nossos banquetes do dia a dia. Um tomate fresco, uma baguete crocante, um queijo de cabra e um fio de mel eram perfeição. Simplicidade e qualidade. E para finalizar nada melhor um éclair de pistache. Os doces franceses mereceriam um capítulo à parte. Cada um deles era uma aula sobre a história francesa.

Foi vivendo na França que me tornei vegetariana. Eram tantas delícias que foi uma mudança fácil.

Aos domingos, íamos a uma feira de rua perto de nossa casa. Sentia saudades das compras a céu aberto, como fazíamos no Brasil. A qualidade, a procedência e a forma de preparo eram exigências dos consumidores. Era um passeio elegante.

Produtos orgânicos, vindos direto dos produtores, se misturavam com lindas bancas de flores. Exibição de frutos do mar, mel, chapéus e echarpes. Poético. Quase podia ouvir Vivaldi e "O outono" orquestrando nossas compras. As bancas de queijos e pães expunham obras de arte vendidas com gentileza e educação pelos orgulhosos curadores. Até a área da peixaria cheirava a perfume francês.

Os embrulhos cuidadosos dos produtos demonstravam a preciosidade do que estavam comercializando.

Fomos algumas vezes diretamente às fazendas produtoras. Colhemos frutas, legumes e verduras. Nesta fazenda, as crianças tiveram aula de como fazer pão e suco de maçã.

As crianças não eram tão bem recebidas nos restaurantes. As mesas eram muito próximas umas das outras e meus filhos poderiam levar broncas e olhares feios de estranhos, que pareciam pertencer à nossa família, tamanha a proximidade física. No mínimo as crianças eram motivo de muitas bufadas. Os franceses expressavam descontentamento e impaciência, não só com as crianças, através de um forte bufar. Os cachorros eram muito mais bem-vindos.

Na França, reencontrei sapateiros, locais para conserto de eletrônicos, costureiras, alfaiates, relojoeiros, pequenos negócios em todas as áreas. Pequenas boutiques, sebos, lojas de perfumes, de chocolates, doces. Valorização dos trabalhos manuais, dos detalhes, da rica simplicidade e das tradições.

Mesmo estando em uma grande capital, a pressa do dia a dia parecia ser suavizada por conversas nos cafés, pelo apreciar a arte, por idas ao cinema, museus e parques.

O dirigir era desafiador. Poderia ser surpreendida por uma parada repentina de um carro, sem razão aparente. Parar o carro no meio de uma avenida era comum. Estacionar era passar a linha na agulha. Raras e apertadas vagas. Balizas eram beijos do tipo selinho. Várias vezes, ao sair do meu carro, eu era surpreendida pela presença de um dos motoristas dentro do carro, assistindo a todo meu esforço, sendo que ele possuía espaço de sobra à sua frente. Ebulição no coração.

O desafio maior para mim, como motorista em Paris, era o Arco do Triunfo. Uma grande rotatória, ao redor do monumento de Napoleão. Terra sem dono, sem faixas, sem regras. Aprendi com o tempo a atravessar aquela loucura com lucidez.

Uma grande rede de estacionamento subterrânea se esconde por toda Paris e arredores, assim como postos de gasolina. Vagas minúsculas. O motorista deveria estar em dia com a balança. Mal se abria a porta. Já saía do carro contraindo o abdômen, tanto para o espaço mínimo, quanto para o cheiro de urina característico.

As brigas de trânsito eram comuns. Em alguns casos os motoristas até saíam de seus carros para discutirem, se ofendiam e iam embora.

Confesso que, com o passar do tempo, passei a notar que sempre havia uma certa tensão no ar. Éramos revistados em todos os lugares que fôssemos. Os parisienses estavam sempre prontos a argumentar, reclamar, opinar. Comecei a estar preparada para conflitos o tempo todo, principalmente em filas. Diversas vezes acreditei que o conceito de fila e ordem não havia sido bem esclarecido ali.

Vale lembrar que todas minhas observações e opiniões vêm de um recorte muito específico e privilegiado sobre Paris e França. Perspectiva construída a partir do local onde vivi e as pessoas com quem cruzei naquele período.

Encontros

Em setembro a vida na cidade voltou ao normal. As crianças foram à nova escola. A escola estava próxima a Paris, não em Paris, assim a circulação dos turistas era menor. Paris é uma das cidades que mais atrai turistas no mundo. Nos preocupávamos com a segurança: atentados, manifestações, eventos, greves. Poucos meses antes de nossa chegada, Paris havia enfrentado os atentados de Charlie Hebdo e do Bataclan. No mês de nossa mudança aconteceu o triste atentado de Nice. Era comum encontrar militares circulando pelas ruas com armas enormes em mãos.

Na escola das crianças havia uma grande comunidade internacional. Funcionários e alunos do mundo todo. Escola acolhedora. Todos se conheciam. Praticamente todas as famílias eram de expatriados, estavam ali transferidos por seus trabalhos. Conheci famílias onde as crianças contavam mais países morados do que anos vividos.

Todas as famílias passavam pelos sentimentos comuns da adaptação a um lugar novo. Havia vontade de se construir vínculos e rede de apoio.

A vulnerabilidade e as saudades de pessoas queridas era presente em todos. A adaptação à nova vida era tarefa comum, porém mais dura para alguns do que para outros. O não falar a língua local fortalecia a bolha da comunidade internacional. Nem todos estavam dispostos a aprender francês.

Em situação fragilizada, as relações entre as pessoas transitavam da superficialidade às profundezas rapidamente.

O preenchimento do contato de emergência dos formulários da escola era sempre desconfortável. Quem teria alguém para confiar os filhos em um país onde eram recém chegados?

A escola comemorava as datas mais importantes das culturas presentes na escola. A diversidade era um dos valores mais preciosos daquela comunidade e era motivo de celebração e fonte de aprendizados.

Eu comecei a fazer aulas de yoga na escola. Deixávamos as crianças e seguíamos para um ginásio para nos exercitarmos. Ambiente saudável e convidativo para conhecer outras mães.

Ao conhecer outras mães percebi que nem todas estavam felizes com suas novas vidas, suas novas identidades. Sem perceber, depositavam mais atenção no que lhes faltava do que no que eram capazes de acrescentarem como experiências de vida.

A adaptação pode realmente ser árdua, mas resistir pode resultar em ainda mais sofrimento.

Acho que muitos de nós somos colocados à prova quando nos despimos do que pensávamos ser em nosso ambiente protegido, em nosso país e perto da família.

Estive na casa de brasileiros que viviam um Brasil particular em Paris. Brasil por toda a casa. Televisão brasileira, música brasileira, comida brasileira e amigos brasileiros. Não existia atitude certa ou errada, mas era importante que não perdessem de vista a oportunidade que tinham nas mãos de expandirem suas fronteiras. E o tamanho e forma desta expansão só cabia a cada um avaliar.

Carregamos nossas raízes conosco, mas podemos ser muito mais.

O que somos é maior do que o lugar onde nascemos e o lugar onde estamos. O apego ao que tínhamos em nossa pátria não necessariamente era porque a vida era melhor. Porém era com o que estávamos acostumados. Nos adaptamos e entramos em simbiose com o que havia de positivo e também negativo. Algumas pessoas só se reconhecem dentro desta relação e se desesperam com o novo, com as mudanças.

Em que momento a nossa condição se torna nossa definição? O outono é a grande manifestação da impermanência. Não existem contornos rígidos, não existem determinações, nem pontos finais, tudo são condições.

Nós estamos, nós não somos.

Estamos pais de nossos filhos e quem sabe um dia estaremos filhos de nossos filhos? Estamos em um relacionamento e, em outro dia, já não mais. Tudo tem início, meio e fim. Tudo é temporário.

O que de meu ninho trago comigo, porque me adaptei, me acostumei e hoje me define? O que de meu ninho trago comigo que me enrijece, me limita, me mantém passarinho que não se dá conta de usar suas próprias asas e seguir seus próprios ventos? Quais são as minhas gaiolas? O vento soprava pacífico sob as folhas das árvores, que não mais precisava carregar.

Resistência é filha do medo. Resistência é a mãe da coragem.

As crianças estavam felizes na nova escola.

Meu tempo livre havia sido promovido. Primeira vez que Tom e Maitê estavam na mesma escola e durante um longo período.

Acredite, para o tamanho de mundo novo que se apresentava ali para mim, o dia precisava ter muito mais horas para eu ser capaz de explorá-lo.

Descobertas e surpresas a todo instante.

Ir às compras me custava muito mais tempo do que o normal. Prateleiras recheadas de embalagens e palavras lindas, intrigavam minha curiosidade e eram material de pesquisa. Uma simples lista de compras produzia muito conhecimento sobre a língua francesa, os costumes e a cultura. A fila do caixa do supermercado era como um encontro de recém-namorados. Coração palpitava, mão suava, a voz embargava. Sucesso na relação era ser compreendida, mesmo sob pressão do olhar de toda a fila.

Fazia duas a três vezes por semana as minhas aulas de francês. Jogava-me nos afazeres do dia a dia. A cidade era a minha maior mestra. Interagia com as pessoas e colocava minha nova língua à prova. A televisão e o rádio também me ensinaram muito. A programação da televisão francesa era excelente e muito educativa. Haviam programas interessantes sobre história, culinária, comportamento, saúde, viagens e assuntos de qualidade. Ouvia muita música francesa. Escolhi também grupos de músicas infantis para as crianças. Nos ajudavam no vocabulário, pronúncia e a participar da cultura das pessoas ao nosso redor.

Minha professora se chamava Beatrice. Sabia, por experiência, o que era ser expatriada, por isso, além das aulas, me ajudava com assuntos práticos e burocráticos.

Aprendi a admirar sua autenticidade e sinceridade. Jamais na minha vida havia conhecido alguém que, educadamente, houvesse me dito coisas como: "seu cabelo está muito seco! Você precisa hidratá-lo. O produto que indico é este e você pode encontrá-lo neste endereço". Ou: esse biscoito que me ofereceu não está fresco. Não quero, obrigada.

Certas verdades podem não ser vistas como bom tom. Será que achamos que o outro não dará conta? Aprendi que me agradava a sinceridade e enxergava como um interesse real e honesto por mim. Gostava de ouvir a verdade dela. Nunca me ofendi. Talvez o segredo estivesse na entrega da mensagem da maneira correta.

Ela me ganhou com sua honestidade e, aos poucos, meu aprendizado da língua francesa se tornou terapêutico. E, pela primeira vez, saía da fala superficial sobre minha infância e mergulhava sobre temas que havia evitado por tantos anos. Ela fez o mesmo movimento do lado dela e nosso praticar francês formou novelo de história francesa e de nossas histórias pessoais.

Eu complementava minhas aulas de francês em uma organização comunitária criada por franceses aposentados. Por um valor simbólico, podia me sentar na companhia deles para conversar.

Era necessário ser capaz de manter uma conversa. O intuito era o de ganhar fluência. Pessoas muito cultas. Grandes contadores de história. A maioria deles haviam viajado o mundo. Não necessariamente porque eram pessoas de alto poder aquisitivo, mas porque viajar era uma prioridade.

Vários já haviam estado no Brasil. Falavam sobre literatura, história, artes, gastronomia e experiências de vida.

Pensando bem, talvez não fosse o viajar a prioridade e sim o recolher vivências, o aumentar o repertório, o descobrir novos cenários. Era viajar na leitura, na música, no cinema e nas interações com outras pessoas.

Aprender é essencial. Força motriz da vida. Por vezes, nossos próprios inimigos nos habitam na forma de uma estrutura de condenação que nos tolhe, nos impede de crescermos. O não acreditar em nossas capacidades ou o aceitar as limitações ditadas por outros, tornam-se pensamentos que nos condenam e nos tiram a coragem de tentar.

Pensamentos repetitivos que nos levam à busca de provas de que eles são reais. Nossa interpretação de falas e fatos encontram caminhos que reafirmam e consolidam esta estrutura de pensamentos que nos condenam e minam nossa natureza de tantas possibilidades. Estava empolgada e muito feliz por aprender uma nova língua após meus quarenta anos.

É comum dizer que as crianças aprendem e se adaptam rapidamente. Afirmações como essas caminham na direção oposta ao apoio e respeito ao tempo de cada criança. Há um processo muito maior acontecendo, tanto para as crianças quanto para os pais. Um processo emocional que permeia todas as novas experiências do recomeçar a vida em um novo lugar.

Alex e eu enfrentamos nossas mudanças com expectativas controladas, com uma certa inocência e muita curiosidade. Possivelmente Tom e Ma nos observavam antes de construírem suas reações próprias em relação às experiências novas.

Nas minhas idas e vindas à escola das crianças comecei a construir pontes com outras mães.

Foi na escola que conheci Lara. Nos encontramos rapidamente em sua primeira visita à escola. Ela ainda não havia se mudado para a França. Lembro-me de vê-la na escadaria de um dos prédios e achar que era francesa. Alta, magra, cabelos curtos e negros, com uma franja longa unilateral e assimétrica. Mais tarde, ela me confessou ter sentido que naquele dia estávamos nos reencontrando.

Ela se tornou minha melhor amiga de infância, mas que vim a conhecer na vida adulta. Encontrar um verdadeiro amigo assim é muito significativo. Nossa conexão veio da liberdade que nos demos de sermos reais.

Nossas famílias se tornaram amigas. Nos tornamos contato de emergência uma da outra, nos ajudávamos nas caronas, nos cuidados com a casa quando uma de nós viajava: cuidadoras de plantinhas e de gatos.

Nos tornamos parceiras em nossos processos de cura. Seguíamos por caminhos diferentes, mas na direção do crescimento. Ela: mística, impulsiva e abraçadora. Eu: racional, quieta e observadora.

A menina Lara segurou em minhas pequenas mãos de menina e partilhou ombro, ouvidos e lágrimas. Sabia que havia encontrado uma amiga para levar até meus últimos dias de vida.

Estávamos juntas nas aulas de yoga, capoeira, cerâmica, nas idas ao cinema, almoços e nas atividades dentro da escola.

Despropositadamente, cada uma dessas atividades se tornava compromisso terapêutico. Parte da natureza terapêutica vinha da atividade em si, mas creio que a capacidade curativa maior brotava da sintonia que partilhamos durante e depois das atividades.

Caminhadas não eram só caminhadas. Eram caminhadas contemplativas, de passos feitos por pés descalços, desnudos de ego. Yoga tinha choro, de contato interno.

A cerâmica já era uma paixão da Lara. Lara era artista de mãos hábeis. Levou-me para a cerâmica e lá aprendi uma outra forma de meditar. A concentração necessária, ao se sentar em frente ao torno, se tornava atenção plena. Não havia espaço para pensamentos intrusos. Eu me admirava com a meticulosidade, o planejamento e com o cuidado que beirava a perfeição dos trabalhos feitos por ela. E ela por sua vez, se admirava com meu desapego e facilidade em aceitar o meu melhor, qual fosse naquele dia. Minha capacidade de acolher o que foi produzido e não me condenar com o resultado. Minha capacidade de rir de minhas peças, triplamente pós modernas.

O cinema era uma sessão de faxina interna. Cinema é arte, assim, era uma paixão dos franceses. Íamos à primeira sessão do dia, geralmente às nove e meia da manhã com a caixinha de lenços de papel. Rostos lavados. Cinema era válvula de escape para pressões diversas.

Íamos de patinete a uma lanchonete que, ironicamente, se chamava Naked (nu). Nosso ponto de encontro de nossa verdade, nua e crua. Os franceses, vizinhos de mesa, provavelmente desejavam o mesmo lanche e a bebida, a fim de conhecer o ingrediente secreto que nos fazia rir e chorar ao mesmo tempo.

As propriedades curativas de nossas atividades eram potencializadas por astrologia, florais de Bach, acupuntura e outras terapias conhecidas por Lara.

Minha contribuição vinha dos livros. Minhas leituras abordavam uma releitura da vida. Eu buscava nos livros uma nova perspectiva, uma nova visão que me ajudasse a interpretar episódios passados, buscava respostas que trouxessem uma razão e uma ligação invisível da vida vivida até ali. Quem sabe eu esbarrasse nas respostas aos meus porquês? Fui recolhendo pistas. Peças de um quebra-cabeças sem fim.

Assim, todo encontro meu com Lara era de acolhimento de nossas meninas. Meninas que um dia foram deixadas sozinhas com suas dores e que agora se acolhiam e se cuidavam.

Duas meninas que inevitavelmente também brincavam. Nos divertimos muito juntas. O andar de patinete pela linda cidade, as risadas de nós mesmas com nossas comunicações regadas em francês, inglês e português, lambanças na argila, nossos passeios com nossos filhos, nossos eclairs de pistache e pedacinhos de chocolate.

Certa vez, buscamos informações sobre um curso de cerâmica e, surpreendentemente, nos vimos sentadas em uma classe de francês fazendo uma prova. Até hoje não sabemos como tudo aconteceu, mas durante o teste as lágrimas de gargalhadas contidas rolavam, por respeito ao professor desconhecido.

Hoje enxergo claramente essas duas meninas crescidas, se aventurando e se permitindo terem uma nova vida. Sabíamos da singularidade daqueles momentos. Cúmplices no crime da busca, duas meninas brasileiras no corpo de duas adultas brincando pelas ruas de Paris. O crescimento era por nós e pelos nossos, especialmente nossos filhos.

Irmãs de famílias desconhecidas. Irmãs de uma família maior. Reencontramos a amiga que nos foi falta. Precisava dela sem nem saber de sua existência.

Durante o brincar, confidenciamos o que havíamos guardado durante anos. Abrimos a caixinha de segredos, sonhos, perdas e mostramos as cicatrizes da infância.

Partilhei retalhos de minha infância que me pareciam servir apenas para as traças.

Cada pedacinho do que vivi recebeu um olhar profundo, carregado de emoção. Repousei demoradamente minha alma em cada detalhe daquela memória. Perguntei à minha criança dentro de mim: como se sentiu? O que gostaria que tivesse sido diferente? O que gostaria de ter recebido naquele pequeno recorte da vida? O que lhe faltou?

Escutei. Permiti-me viver aquele sentimento empoeirado.

Assim, cada quadradinho foi sendo lavado por lágrimas.

A minha parte adulta acolheu minha parte infância. Tentei oferecer à criança o que foi falta.

Sequei tudo com sopros de palavras de amor e compaixão.

Alinhavei todos os retalhos, ainda receosa do que estava fazendo.

Quando todos os retalhos foram dispostos juntos, vi que tudo estava em seu lugar. Não havia retalho de memória que quisesse rasgar. Os costurei com a linha de costura mais forte que encontrei. Formei molduras e os valorizei.

Minha história se tornou meu manto de proteção. Digno de capa de super herói. Minha fortaleza pessoal.

Lancei olhos de orgulho e amor na minha jornada de vida. Agradeci à minha sábia, forte e amorosa menina.

Minha menina ganhou passeios por Paris, de patinete, se lambuzou de crepe, mostrou sua criatividade na argila, riu de si mesma ao falar francês, se permitiu aprender coisas novas e até voltou a ter gato. Adotamos nossa gatinha Bombom na cidade de Meaux.

Minha menina voltou a fazer ballet. Chique. Aulas de ballet em uma escola conceituada no Marais. Se jogou no meio de bailarinos franceses experientes. Minha criança ganhou uma festa surpresa com direito a bolo, bexiga e amigos. Passeou com olhos curiosos por todos os museus e acampou com meus filhos como fazia com meus pais.

Minha menina do passado estava presente.
Eu estava inteira.

Enquanto isso, minha pequena Maitê e eu decidimos finalizar a amamentação. Foram três anos e meio de pele com pele, olhos nos olhos. Amamentei o Tom durante quatorze meses. O pediatra havia me dito que a amamentação prolongada resultaria em dependência emocional. Golpe baixo para uma mãe com pouca experiência. Foi doloroso para mim. Tom ficou bem, mas eu não.

Maitê era a menina mais autoconfiante que havia conhecido, contrariando a teoria terrorista do pediatra de Tom. Alex ainda viajava bastante. Assim, era doído fazer o encerramento de nosso lindo ciclo sem a presença dele, sem suporte. Era preciso que fosse com carinho e consistente. Foi durante as férias de Alex que ele nos ajudou. Amorosamente acabou. Ainda sentimos saudades de nossos momentos.

Tom e Maitê, resilientes, estavam felizes. Como atividade pós escola, Tom deu continuidade às aulas de Taekwondo e Maitê iniciou o ballet. Aulas totalmente em francês. Tom quando tinha dúvida das orientações dadas pelo professor, olhava a sua volta e seguia as outras crianças. Mas, a cada dia a língua se tornava mais e mais familiar para ele.

Já Maite, aos três anos de idade e com tamanha personalidade, mesmo que entendesse todo o francês, não necessariamente seguiria as orientações da professora. Foram três semanas de aula quando a professora de Maitê sem muitas explicações a expulsou definitivamente de suas aulas de ballet. Maitê era um espírito livre demais para tantas regras.

O ano letivo na escola iniciava em setembro e terminava em junho. Na França, a cada seis semanas aproximadamente, a escola fazia uma pausa. Duas semanas em setembro, dezembro, fevereiro e abril.

Alguns dias antes destas férias de Primavera, a escola havia me pedido permissão para aplicar testes para o Tom. Permiti. Desde os Estados Unidos, Tom chamava a atenção dos professores. Com os resultados dos testes, a escola sugeriu que ele avançasse um ano escolar. Ele se despediu dos amigos de sua classe e no mesmo dia foi apresentado à sua nova turma. Se sentiu orgulhoso e fez assim, ainda mais amigos.

Alex tinha um desafio gigante no trabalho. Ele era a única pessoa não francesa de todo o escritório. Existia muita resistência por parte de alguns funcionários em aceitar sua liderança. Alex tinha um perfil conciliador e ali precisou aprender a mostrar a outra face, a face confrontadora. Ele foi sempre um líder muito humano.

Corajoso, poucas semanas após nossa mudança ele fez um discurso de abertura em uma importante reunião. Primeiro discurso em francês. Tinha todas as palavras anotadas em um pedaço de papel que deixou no táxi que o levou ao local da reunião. Tudo correu bem. Os meses se passaram e ele conseguiu fechar o maior contrato de toda a empresa naquele ano.

Cada um de nós enfrentava seus próprios obstáculos. Ninguém podia fazer a caminhada pelo outro. Estávamos nos saindo bem. Maitê estava bem. Tom estava bem. Alex estava bem. E eu também.

Mas alguém não estava bem.

Vi-ncent

Em mais um dia outonal em plena primavera, meu telefone toca. Minha mãe usava uma voz forte que parecia tentar disfarçar fraqueza e temor. Disse, como se quisesse convencer a ela mesma: tudo já está sendo resolvido, agora tudo está sob controle. Como um alguém que passou por uma experiência de quase morte e sobreviveu.

Meu irmão havia tentado lançar voo para além do horizonte. Onde tememos ir, mesmo sabendo lá ser o nosso destino final.

Um ruído ensurdecedor entrou pelo meu ouvido e me paralisou. Chorei e gritei para tentar atenuar a explosão que acontecia dentro do peito. Tremi e me perdi, sem saber o que fazer e para onde ir. Pela fresta da porta ela voltou e se juntou à minha escura sombra. A minha velha inimiga chegou: a impotência. Vazia de força e poder, me restava a vontade de ir para o escuro e me colocar em posição fetal. Sonhei acordar e descobrir que tudo havia sido um pesadelo.

Meu irmão estava hospitalizado e fora de risco. Pelo menos temporariamente. Seu maior perigo era ele mesmo.

Escondido por detrás da impotência encontrei tesouro: era o amor incondicional. Tudo e só o que desejava para meu irmão era vida. Vida da forma que desejasse, pudesse, onde fosse, com quem fosse. Nenhuma condição de como deveria ser ou viver se encontrava na frente do amor. Eu nem precisava fazer parte da vida dele, só queria notícias. Notícias trazidas pelos pássaros, que do alto assistiam meu irmão andarilho e sorridente pelo mundo.

O trauma é veneno que impregna os corpos de suas vítimas, embaça a vista, é odor que permeia pensamentos e espreme o coração. Seus impactos desconectam a pessoa dos outros e dela mesma, distorce sua visão do mundo e do tempo, a fazem reagir ao passado mesmo diante do presente, afetam a saúde mental e nos envergonha de quem somos.

A dor antiga tenta ser calada através de meios de fuga. Necessidade de escapar do passado que nos consome, nos persegue, que reflete em tudo que vemos ao nosso redor, impede de crescer, pesa na alma e impede de seguir. Paralisia em dor.

Talvez o episódio passado possa não parecer tanto para um outro alguém. Não pareça tão grave aos olhos de outros. Porque não é o que aconteceu, mas sim o que aconteceu dentro de você durante o episódio. Não é o fato em si, e sim o seu impacto interno.

Sei que meu irmão passou por muito em sua infância. Estive lá. E ele era bem mais novo do que eu.

Viajamos muito durante o tempo que vivemos em Paris. Rodamos a Europa, a Ásia e a África. Mas um dos meus passeios favoritos ficava a apenas 25 minutos de casa: a pequena cidade de Auvers-sur-Oise.

Cidade bucólica onde Vincent Van Gogh, durante cerca de setenta dias, viveu e morreu. Na cidade, pode-se andar pelos locais que inspiraram seus quadros. Marcas no chão mostram ao visitante qual foi a posição do artista diante da imagem que se tornou pintura. A intenção é mostrar o ponto de vista, a perspectiva de Van Gogh. Me parece uma sandice a tentativa de vermos através dos olhos de Van Gogh.

O período que viveu em Auvers-sur-Oise foi o período mais produtivo de Van Gogh. Mudou-se após sair de uma internação em um hospital psiquiátrico em St. Remy. Sua saúde mental carecia de cuidados. Não gostava de Paris, onde seu irmão Theo vivia. Assim, encontrou em Auvers-sur-Oise os encantamentos de viver no campo, mas ainda estar próximo de seu amado irmão Theo.

Theo foi sempre presente na vida de Van Gogh. O amor fraterno foi registrado em mais de 650 cartas escritas entre eles.

Vincent Van Gogh faleceu em um pequeno quarto alugado em uma humilde pensão. Um tiro no peito lhe tirou a vida. Permaneceu durante dois dias após o disparo naquele quartinho. Ainda se discute se seu tormento pessoal o levou a atentar sobre sua própria vida ou se foi vítima de um tiro acidental, disparado por garotos no campo de trigo.

Em minhas visitas à cidade, não perdia a oportunidade de sentir a paz de Vincent e Theo. Repousam lado a lado, cercados de singela simplicidade. Theo faleceu apenas seis meses após Vincent. Vincent Van Gogh vendeu em vida apenas um quadro. Morreu na solidão.

História tocante de amor e genialidade.

Visitamos diversas vezes os campos de trigo em dias de céu azul "Amendoeira em Flor". Era caminhar em pintura, em tela, em arte. Céu profundo, céu silêncio, cortado pelo sussurrar dos corvos. Assistiam tudo do alto. Cantarolavam de bicos selados uma suave melodia de pesar que embalava a leve dança das espigas de trigo douradas.

Eu queria poder embalar meu irmão em meus braços. Queria protegê-lo. Queria ser capaz de dizer que tudo ficaria bem.

Nem o pai do expressionismo foi capaz de drenar todas as suas angústias internas. Como eu poderia ajudar meu irmão em suas dores estando em outro continente?

Foi minha amiga Lara que, ao receber as notícias sobre meu irmão, me disse, desconcertada:

imagine o quanto de dor ele sentia e já não suportava mais?

Aquela frase foi luz direcionada à minha escuridão e ignorância. Esfregão em meus olhos que clarearam minha turva visão. Redirecionou-me para o trajeto certo, deixei a busca por razão e encontrei o amor.

Ele precisava de afeto e força.

Era preciso deixar de lado o que gostava ou não da história vivida e se perguntar: seria ainda possível se fazer algo em relação ao passado? E se possível, deveria ser feito? Qual era o papel dele diante do acontecido?

Às vezes nossos desejos e emoções podem apontar para uma direção diferente do que é o certo a fazer em relação ao que vivemos.

Ganhamos força ao expressarmos a verdade sobre o que sentimos e pensamos diante do que nos aconteceu.

E, quem sabe, nos questionar com sinceridade se estamos fazendo algo bom com o episódio que nos marcou.

Este é um caminho que pode trazer consciência sobre o que vivemos. Talvez até permita encontrar distância entre os problemas e quem somos. É preciso estarmos alertas, porque outras coisas que não conseguimos lidar podem surgir.

Conscientes para não perdermos a nossa mente e o controle sobre nossas ações.

Sem se desesperar, é possível aprender aos poucos o caminho que nos leva para dentro de nós e lá des-cobrir o amor. Amor coberto de como deveria ter sido. Amor não vivido, rejeitado, não amado. Mas ainda amor. Amor que te habita e é seu.

O amor é o negativo dos traumas que possuímos.

Meu irmão entrou em tratamento, encontrou grupos de apoio e, pouco a pouco, foi se apropriando de seu amor. Não foi fácil. Precisou coragem e persistência. Orgulho-me muito dele.

Meses depois, veio nos visitar em Paris. Estava bem. Dei o colo que desejei em forma de escuta e atenção. Nosso fraterno amor cresceu através da liberdade de expressão que nos demos.

Tempo de voar

Após cerca de um ano e meio vivendo em Paris, a empresa pediu para que Alex passasse a cuidar do escritório de Londres o mais rápido possível. Não estávamos prontos. Sabíamos que a vida ali tinha data de término, mas era cedo. O contrato dizia que seriam três anos em Paris.

Alex argumentou, mas realmente ele precisava passar muito de seu tempo em Londres. As crianças estavam no meio do ano letivo. Eu não via a possibilidade de nos mudarmos naquele momento. Resolvemos alugar um apartamento em Londres para Alex ficar de segunda a sexta. As idas e vindas levavam um pouco mais de duas horas. O Eurostar fazia o trajeto Paris-Londres, saindo da Gare du Nord, passando sob o Canal da Mancha e chegando na estação de trem de St. Pancras. Não era o mundo ideal, mas foi a melhor solução que encontramos. Nosso plano durou seis meses.

Vi-me novamente pesquisando escolas. Fui sozinha para Londres, a fim de fazer as visitas às escolas. Confesso que estava descontente com a mudança precoce. Estávamos muito felizes em Paris.

Minha mente já estava no futuro, aguardando o meu corpo chegar. Voltei a viver em contagem regressiva. Não eram movimentos premeditados, mas me tornei mais mansa, mais calada. Preparava-me aos poucos para as últimas vezes. Última aula de cerâmica, última visita ao Louvre, último passeio por meu jardim favorito, última conversa com alguém querido, última vez de muitas primeiras vezes de minha vida. Algumas eram evidentes e outras eu não me dava conta quando aconteciam.

Era árvore no outono. Cada dia uma folha se despedia.

Outono é sinônimo de transição e mudança. Estação da impermanência. Não é verão extrovertido, nem inverno reservado. É caminho do meio. É equinócio, equilíbrio de luz e escuridão.

Tempo de colheita e tempo de deixar ir.

Havia colhido mais frutos do que jamais um dia imaginei. Colecionado sementes para mais primaveras do que serei capaz de ver.

A passagem do tempo se torna evidente nas cores da natureza que anunciam o final de um ciclo. O colorido se esvai. As cores da terra tomam lugar como num presságio do estado de pó que se aproxima.

Sábia é a árvore que aprendeu a desapegar de suas folhas para seu próprio bem. Sacrifício. Aceita as perdas. Sabe que não são perdas, são apenas fases de uma transformação.

Queria dizer à natureza: me ensina!
As despedidas mais difíceis seriam as últimas.

Organizamos uma última viagem.

Fomos à região da Bretanha. Experimentamos o glamping, que é um camping de luxo, no nosso caso, sem energia elétrica. Nossa cabana ficava em um grande campo verde com vista para as montanhas. As acomodações eram rústicas e confortáveis. Nosso banheiro ficava ao ar livre. Fogão a lenha. O jantar e qualquer coisa que fizéssemos à noite, era à luz de velas.

Nossa cabana estava instalada dentro de uma fazenda. Os animais estavam soltos pelo campo ao nosso redor. Pônei, burrinhos, gatos, patos, galinhas e cabras vinham nos visitar.

Tivemos um tempo de qualidade único. A quietude, a natureza, a simplicidade, as descobertas, os erros, tudo foi extraordinário.

A felicidade das crianças ficou completa com os amigos que fizeram ali. Eram dois meninos franceses, com idade próxima à do Tom. Moravam com a mãe. Toda a fazenda era cuidada apenas pela mãe e os dois garotos. Tinham muitas responsabilidades. Nunca haviam ido à escola. Estudavam com a mãe em casa.

Os meninos ficaram mais próximos de Tom. Tom falava muito bem francês. Passou aqueles dias ajudando os meninos a abrir cerca, guiar boi de um pasto a outro, pegar ovos, tirou carrapato de gato, lavou trailer e rolou, literalmente, muito na grama e na lama. Maitê cuidou dos gatos e pintinhos e deu algumas voltas nas costas da vaca.

Convidamos um dia os meninos para jantar. Vieram de banho tomado com uma garrafa de sidra de maçã, que a mãe havia preparado. Conversamos muito. Um dos meninos contou que possuía um uniforme de futebol que ele mesmo havia costurado. Vida sem luxo. Vida com liberdade. Não há luxo maior do que o de ser livre. Tom desejou viver como seus novos amigos.

Carregamos conosco memórias e lições aprendidas com aqueles dois meninos. As crianças por muito tempo, escolheram aquela viagem como a melhor que já haviam feito.

A França não me decepcionou. Paris foi mesmo sonho. Foi cidade luz e cidade amor.

Paris, cidade de passado-presente e isso a faz especial e única.

Me fez olhar para minha história por olhos de outono. Olhei para as perdas e colhi ganhos.

As folhas perdidas se transformaram em nutrição para solo fértil. Meu passado era ensinamento.

E, ao contrário do que havia imaginado, o grande luxo de nossos dois anos em Paris estava na simplicidade.

Fui fazer feira em Paris, fui mexer no barro, fui andar de patinete, fui brincar, fui amiga de infância, fui bailarina, fui estudante, fui acampar, fui intérprete, fui esnobada, fui yogini, fui madame, fui menina, fui muito feliz.

Foi a despedida mais difícil de todas.

Reencontrei minha criança e minha história. Elas seguiam comigo.

Paris foi infância.

Inverno em Londres

Londres, a cidade dos contrastes.

Constituída pelo velho e novo, pela tradição e pela contemporaneidade. É excêntrica e conservadora. Domicílio dos opostos, das incoerências e das compatibilidades.

Cabe realeza no luxuoso Palácio de Buckingham e Amy Winehouse no despojado bairro de Camden.

O rio Tâmisa fita o reflexo da história da cidade no seu monumento mais antigo, a Torre de Londres. E, ao mesmo tempo, vê suas águas refletidas nas paredes espelhadas do Gherkin, o apelidado pepino arranha céu. Castelos medievais e edifícios *high tech* são combinações nada cafonas.

Londres e sua pontualidade pontuam ideias contrastantes constantemente.

Natural que o sentido da circulação de tráfego tivesse que ser diferente. A tal da mão inglesa. Turista, ao atravessar a rua, não sabe para onde olhar, em que lado confiar.

Não por acaso tem em suas redondezas o meridiano de Greenwich. A divisa imaginária entre os dois lados do planeta.

É preciso muito chá da tarde para se assistir ao estilo próprio de se viver nesta cidade.

Londres é coerentemente paradoxal.

Cidade onde cabe o mundo.

Pouso

Confesso que não me mudei muito feliz para Londres. Queria ter tido mais tempo na França. Cheguei contrariada, mas sabia da sorte que era viver em mais um local tão incrível. Se existia uma lição a ser aprendida em cada um dos lugares que fiz morada, eu estava sendo uma estudante muito aplicada. Ou seria exatamente o oposto?!

No dia anterior à mudança, Alex dirigiu sete horas até nosso cantinho britânico. Levou com ele nossa gata francesa e plantas. Instalados no novo apartamento, dirigiu outras sete horas de volta para Paris. Queria estar conosco no dia da partida.

Minha mãe estava comigo também. Sair da França foi praticamente um longo trabalho de parto. Minha mãe sentiu que deveria estar por perto. Rebeldia e conflitos de meu eu adolescente pedindo por supervisão materna.

Temia o cinzento de Londres. Temia entrar em uma das histórias de Sherlock Holmes ou Agatha Christie.

Deixando de lado meu conflito interno, na prática, foi a mudança mais simples de todas. Nós chegamos de trem. Nossas coisas de caminhão.

Carregado na França em um dia e estacionado na Inglaterra na manhã seguinte.

Fomos morar na célebre Abbey Road, em St. John 's Wood. Nosso apartamento ficava exatamente em frente ao estúdio da Abbey Road e ao famoso cruzamento de pedestres registrado pelos Beatles.

Quando visitamos o apartamento pela primeira vez, ele era lar de poucas coisas, todas no seu devido lugar. Cheirava roupa perfumada e tranquilidade. Na sala, luz dourada como de vitral de catedral, contornava uma mulher que passava roupas. Silhueta semelhante a de minha mãe. De qualquer cantinho, avistava quem chegasse ao estúdio. Uau! Era o estúdio dos Beatles! De repente, eu me vi menina na sala de casa, observando meu pai com os Lps dos Beatles nas mãos.

Lembro-me bem da capa dos discos "Please, please me" e o duplo, "The blue album". O apartamento me pareceu familiar. Talvez fosse a projeção da falta do que um dia já foi. Reencontro com memória feliz. Engoli saudade adocicada. Olhos e olfato se combinaram para puxar, do fundo de mim o que me era eterno. Na viagem para o meu dentro, encontrei a música de meu pai e o cheiro de minha mãe. Sinais de ninho.

Não acreditei quando soube que a casa de Paul McCartney estava bem pertinho de nós, na Cavendish Avenue.

A nova escola das crianças ficava a um quarteirão de nossa casa. Escola muito concorrida. Única escola americana em Londres. Engraçado, porque não tive uma boa primeira impressão. Com o tempo, a escola se revelou melhor do que eu poderia esperar. Brincava que havíamos entrado por nossas origens exóticas.

Ninho Inglês

Em pouco tempo comecei a gostar mais e mais de morar em Londres. Confesso que resisti um pouco à ideia de me despedir por inteira da França em mim. Continuei fazendo aulas de francês e usando meu patinete. Em pouco tempo, me dei conta que não tinha mais sentido me agarrar ao que já não era mais. Receio do vento soprar longe os meus ganhos da vida em Paris.

Senti medo em dirigir nas ruas estreitas, parecia estar dirigindo na contramão e sentada do lado do passageiro. Venci o medo de dirigir e passei a temer a dificuldade de encontrar vagas para estacionar. Definitivamente, Londres dispensa carros.

O sistema de transporte era excelente. Metrô a um quarteirão de casa e ponto de ônibus bem em frente. Sem contar que era um passeio estar no segundo andar do ônibus, especialmente nos assentos acima do motorista. Melhor vista.

O metrô era interessantíssimo. As pessoas mais diversas estavam lá. Coloridas, fantasiadas, tatuadas, quase nuas, discretas, usando hijab, cabelos até os pés, punks, com paetês, a diversidade das pessoas ia além do que eu era capaz de imaginar.

Todas as pessoas eram lindas. Como eram belas as diferenças, as peculiaridades, os estilos, as personalidades, as originalidades e a individualidade autêntica de cada passageiro.

Havia uma outra aluna brasileira na classe da Ma. Filha de um famoso executivo israelense e mãe brasileira. Ela me convidou para um café com um grupo de outras brasileiras da escola. Foi neste café que comecei a enxergar que estava em uma outra realidade. A conversa entre elas era sobre coleção de carros de corrida e sobre curadoria de arte. Mantive a boca fechada. Não conseguia contribuir muito com os assuntos ali em pauta.

Os pais da escola me aparentavam todos serem pessoas que brilhavam em suas profissões. Via-os como pessoas bem-sucedidas, com destaque em suas profissões.

Conheci uma mãe, por exemplo, que era jornalista e me convidou para o lançamento de seu livro. Nele ela narra suas impressões quanto ao propósito de vida e principais valores dos 101 países onde havia trabalhado. Os comentários do livro eram simplesmente assinados por Deepak Chopra e Dalai Lama.

As atrizes Salma Hayek e Gal Gadot circulavam pela escola diariamente. Eu me esforçava em agir naturalmente na presença das famosas estrelas de Hollywood. Fingia ser normal estar entre elas.

A escola promovia muitas oportunidades para os pais participarem e se informarem sobre o desenvolvimento acadêmico, social e emocional dos alunos. Eu participava de tudo que me era oferecido.

Assisti a excelentes palestras de renomados psicólogos. Conheci a escritora R. J. Palácio na escola. O escritor Kwame Alexander estava sempre pela escola para dar suporte às crianças. Surpreendi-me durante uma palestra da escritora e ilustradora Lauren Child, autora dos livros de "Charlie e Lola". Ela pediu ajuda para responder uma questão a uma pessoa que estava sentada próxima a mim. A ajuda veio de Cressida Cowell, escritora conhecida pela série "Como treinar seu dragão".

As mães promoviam encontros onde partilhavam suas habilidades e conhecimentos. Participei de encontros promovidos onde falaram sobre acupuntura, ayurveda, nutrição, palestras com dicas de esportistas e empresárias. Estive também em reuniões simplesmente para assistirmos filmes juntas. Certa vez, tive o privilégio de ser convidada a ouvir a guru de uma amiga indiana em sua casa. Foi na casa dela, também, que celebramos uma linda noite de Diwali.

Outras duas amigas indianas ficaram surpresas ao saber que eu havia namorado durante longos sete anos com Alex. Uma delas esteve com o marido durante trinta minutos antes do dia do casamento. Seu pai havia escolhido com quem ela se casaria. A outra amiga queria me servir comida na boca com seu jeito maternal para com todos. Havia formado uma linda família, com seu marido e dois filhos. Ela havia sido anunciada em um jornal local da Índia. No anúncio seu pai dizia procurar um marido para sua filha. Duas mulheres fortes e instruídas que seguiam tradições culturais.

Um dia, alguém me sugeriu conhecer um grupo de mulheres que corriam em Londres. A última vez que havia corrido em minha vida havia sido antes do nascimento de Tom, possivelmente dez anos atrás em uma prova de cinco quilômetros, no Ibirapuera. Resolvi participar de um dos encontros, sem compromisso. Gostei e passei a me encontrar três vezes por semana em uma esquina dos arredores da escola. Entrei no grupo de retomada da corrida, o grupo que me pareceu mais adequado a uma iniciante.

Women Running the World era um grupo muito bem organizado. Dezenas de mulheres divididas em grupos menores e guiadas por corredoras mais experientes, que tinham em mãos um planejamento estruturado. Desde o primeiro dia nos incentivaram com a promessa de que em poucos meses sairíamos do sedentarismo e estaríamos aptas a correr uma meia maratona.

Estava totalmente incrédula da possibilidade de tal profecia. Começamos com caminhadas, trotes e corridas leves. Descobri que várias delas estavam realmente retomando a corrida e já haviam completado a meia maratona anteriormente. A prova seria no início da primavera em alguma grande cidade europeia.

Fiz boas amigas e conheci trajetos e cafés que provavelmente jamais teria visitado sem o grupo. Tivemos corridas temáticas, como Halloween e Natal e visita a monumentos. Fizemos aula de panificação, amigos secretos, almoços, cafés da manhã, passeios e, sem notar, o desafio da corrida aumentava. Correr até o Big Ben era o desafio inicial, depois fomos nos afastando mais e mais. Cruzamos Hyde Park, Regents Park e chegamos até Kew Gardens. Chegamos a correr um dia de St John 's Wood a Canary Wharf, aproximadamente dezoito quilômetros.

Os treinos haviam começado no outono. O objetivo era de nos preparar para o fim do inverno sermos capazes de corrermos vinte e um quilômetros. Correr às oito horas da manhã, durante o outono e o inverno era desafiador e sofrido. Não havia roupa que me protegesse do vento cortante.

Ao mesmo tempo que eu tremia sob algumas camadas de roupa para me proteger do frio, era comum encontrar pessoas nadando no grande lago central do Hyde Park. Para serem capazes de tal feito, achava que seriam aprendizes de Wim Hof, o conhecido homem do gelo e suas técnicas de respiração.

Em uma manhã em que me sentia atravessada por uma navalha gelada, com as pontas dos dedos dos pés, a ponta do nariz e as orelhas dormentes, tínhamos um treino ao redor do Regent 's Park. Sempre me perguntava o que fazia ali e por que conscientemente sofria. A força do grupo pode nos motivar para o bem e também para o mal.

Naquela manhã, meu nível de sofrimento já estava alto, quando a chuva começou. Estávamos com apenas um grau de temperatura, correndo embaixo d'água. Tentava segurar o gorro da blusa sobre a cabeça e me entretia com meus pensamentos. Imaginava minha mãe me vendo naquela situação de desobediência. Mãe que quando o termômetro baixa dos vinte graus já exige que se carregue uma blusa ao sair de casa. Senti prazer ao destruir uma pequena crença que em mim vivia há mais de quarenta anos. E não, não fiquei nada doente. Fiquei um pouco mais forte.

A relação com o clima era muito diferente da que tínhamos no Brasil. Um dos amigos do Tom era da Armênia, mas havia vivido anos na Rússia. Nunca o vi vestindo calças. Meu combinado com o Tom era que cobrisse as pernas, caso a temperatura não tivesse dois dígitos. Tom fez aulas no parque de Hampstead Heath em pleno inverno. O slogan do grupo era de que não existia tempo ruim e sim roupa imprópria. Os ingleses abriam mão do guarda chuva durante as chuvas. Caminhavam naturalmente com capas de chuva, sem temer a água dos céus.

Tom pela primeira vez tinha um professor e um auxiliar de classe onde os dois eram homens.

Lembro-me de uma mãe se queixar da falta de diversidade na escola. Ela se incomodava com a falta de crianças cadeirantes e casais de mesmo sexo. Eu, até então, não havia me atentado para isso.

Eu me voluntariei para várias atividades da escola. Em uma delas, os alunos recebiam idosos de casas de repouso das redondezas. Tanto a classe da Maitê quanto a do Tom participavam das atividades com esses senhores e senhoras. Durante meu voluntariado, recebi os idosos, alguns com dificuldades de movimento, e os levei até as mesas onde teriam um almoço com as crianças. Sentavam juntos para conversar e almoçar. Compartilhavam fotos e fatos de suas vidas.

Eu, com um bloquinho de anotações em mãos, informava as opções de almoço e bebidas e as anotava para montar o prato com suas preferências. Óbvio que tenho meu sotaque e sei que com ele morrerei. Alguns deles também tinham sotaques e outros tinham dificuldades auditivas e de fala. Fiz meu melhor, mas cometi vários erros. Imaginem uma brasileira inexperiente preparando o tradicional chá inglês para esses ingleses tão experientes? Acho que o Tom gostou de me ver participando, mas definitivamente eu estava aquém da excelência dos serviços desejados.

Tom viajou com a escola durante cinco dias. Já havia se aventurado na França em uma excursão de quatro dias e havia adorado.

Desta vez eles foram acampar. Acampamento rústico onde dormiram em seus sacos de dormir, distribuídos embaixo de lonas por eles montadas. Banheiro apenas químico e nenhum banho. Quando fui buscar meu querido filho, eu não o reconheci. Tinha o rosto inteiro manchado por carvão. Resquícios de uma atividade de camuflagem feita nos primeiros dias de acampamento. Não lembrou que tinha com ele lencinhos umedecidos. Nunca imaginei que meu pequeno pudesse exalar um perfume nada floral, confesso: mais próximo de odor de chiqueiro. No centro da cara preta de carvão se exibia o branco dos dentes. Sobreviveu aos cinco dias sem banho e ao desconforto de dormir no chão e voltou feliz.

A vida em Londres foi de constante embate contra crenças e aprendizados adquiridos anteriormente. Ideias sobre o mundo, sobre pessoas, família, trabalho e sociedade que eu carregava e sustentavam a minha própria identidade e minhas ações. Conceitos e verdades anotados em mim, desfeitos como papéis que se decompõem na água.

Acho que o mesmo acontecia com Alex. Um dia me contou, espantado e ao mesmo tempo encantado, que assistira a uma apresentação de trabalho de uma senhora que vestia uma camisola. Ninguém fez nenhum comentário ou trocou olhares de crítica. Alex não chegou a adotar nenhum dos novos estilos que viu no trabalho.

Maitê encontrou sua melhor amiga na escola. Maitê e Becca se tornaram inseparáveis desde que se conheceram. Amizade intensa. Iam dos mais bonitos gestos de amor a brigas em segundos. Eram ginastas natas e praticavam juntas todas as semanas. As duas celebravam com um dia de diferença o aniversário da Ma e a adoção de Becca.

Tom fez três bons amigos. Tommy, americano, Reyanshi, indiano e Azlan, paquistanês. Lembro da primeira vez que fui buscar Tom na escola e ele e o amigo Tommy passaram por mim e informaram que estavam indo para casa. Assim, sem me pedir, nada. Dois pré adolescentes tomando decisões e simplesmente me comunicando.

Tornei-me muito amiga de Ayira, mãe de Azlan. Mulher linda, que trazia o coração na frente da razão. Ela chegava com certezas e eu trazia as dúvidas. Eu reconhecia em mim condições demais para construir uma relação com o outro. Era tocante ver Ayira mostrar como as amizades poderiam seguir caminhos tão simples. Não sei se o fato de ter mãe artista contava em seu jeito de ser. Pintora famosa, que tinha entre seus clientes ninguém menos que o então Príncipe Charles.

Londres carinhosamente esfregava na cara as minhas ilimitadas limitações.

Eu investigava cada incômodo que sentia. As situações que me eram estranhas eram material de autorreflexão e de trabalho sobre mim.

Viver algo contrário a uma ideia que existe na gente pode ser bem valioso.

Onde não há discordâncias ou diferenças não há crescimento.

Notei um estranhamento bom ao ter sido atendida várias vezes apenas por médicos negros. Reflexo de que, infelizmente, era realidade não vivida antes.

Notei julgamento em mim quando um dia fui participar de uma aula de dança africana. Fiquei em pânico quando notei que era a única aluna que aguardava o início da aula. A professora veio e se apresentou para mim. Ela se chamava Faith, fé. Meu ascendente em escorpião não poderia ignorar um nome tão significativo. Curiosidade minha de sempre fuçar o que se escondia na camada mais abaixo do que estava diante de mim.

A proposta da aula era apresentar a música e a dança de diferentes países da África. De repente, uma mulher passou na frente da classe onde estávamos. A professora a chamou e a convidou para participar da aula. Era uma mulher com véu na cabeça e um bebê no colo e com outra criança de cerca de dois anos ao lado. Em minha limitada mente pensei ser óbvio que ela se negaria a participar. Ela acomodou o bebê ao chão com a irmã e começou a dançar. Estava eu ali diante de mais uma gaiola mental, minha.

Além do grupo de corrida, dei continuidade às aulas de yoga. Eram dezenas de opções de estúdios. Testei todas as linhas e estilos de minha região.

Fiz aulas em um estúdio inaugurado pelo famoso Iyengar em pessoa. Estranhei a rigidez do ambiente, onde os professores nem sempre nos cumprimentavam. Pratiquei yoga em um estúdio Jivamukti que abordava ética e espiritualidade, além dos asanas (posturas). Nas aulas sempre havia música ao vivo. Estúdios de Ashtanga, estilo que já era minha paixão desde a França. Por ser uma série fixa de posturas eu não precisava, assim, colocar minha atenção no francês sussurrado do professor. Sempre fui uma pessoa muito flexível e conseguia fazer asanas que considerava complexos. Surpresa a minha estar em aulas onde o professor pedia, por exemplo, para ficarmos de pés para o ar com suporte apenas na cabeça, livre de mãos e todos faziam. Menos eu.

Prossegui com as aulas de cerâmica. Ambiciosa, tentei uma vaga em um curso profissionalizante, mas condicionaram a cerâmica a aulas de inglês. Precisava aperfeiçoá-lo. Deixei para lá e fui fazer um curso de cerâmica a mão livre. Mão livre e cabeça livre, sem a pressão do torno entortar ou de o meu inglês enroscar. Conheci pessoas de áreas tão diferentes, mas com as mãos sujas de argila em comum. Minha professora era vietnamita e conversava comigo durante as aulas, às vezes em inglês e outras em francês.

Neste período também vi minha paixão por plantas crescer. Fiz um curso rápido de jardinagem no Kew Garden e transformei meu apartamento em nossa floresta particular. Aprendi que meus jardins favoritos são os de estilo inglês, por valorizarem a paisagem natural, sem rigidez ou simetria.

Londres era lugar perfeito para geminianos que, como eu, se apaixonam facilmente por dezenas de assuntos ao mesmo tempo.

Vi as fotos das contracapas de alguns livros lidos se tornarem reais. Livros por onde busquei algumas respostas às minhas dúvidas existenciais.

Em meu curto período em Londres, participei de um retiro do Sadghuru. Aquele final de semana teve início com um jogo de frisbee, às cinco horas da manhã, em uma praça nos arredores de Borough Market, e terminou na mais bela meditação da minha vida.

Escutei Joe Dispenza, Bruce Lipton e Gregg Braden. Curiosidades minhas naquela época.

Assisti a Eckart Tolle, que um dia havia sido morador de rua em Londres e se apresentava então para milhares de pessoas no Royal Albert Hall.

Esbarramos com o improvável em todo lugar. Como ir a um playground com Tom e Ma no Regents Park ao mesmo tempo que Ewan Mcgregor cuidava da filha. Alex encontrou durante sua corrida matinal com Chris Martin correndo também. Cumprimentamos Emma Thompson e Helena Bonham Carter durante as caminhadas no Hampstead Heath.

Do meu sofá, vi o príncipe Harry e Bon Jovi entrarem e saírem para uma gravação nos estúdios da Abbey Road.

Assisti a loucuras serem feitas na tentativa de reproduzir a foto dos Beatles no cruzamento de pedestres. Pessoas de biquíni e prancha de surf durante o inverno. Roupas íntimas e fantasias exóticas eram comuns. Entretenimento ao vivo direto de minha casa.

Reflexões e reflexos

Os invernos na Inglaterra foram duros. Às três e meia da tarde o céu já começava a escurecer e só iria clarear no dia seguinte, às oito da manhã. As crianças iam e retornavam da escola na escuridão.

O frio contrai, encolhe, fecha, faz movimento para dentro. Inverno tem "in" de introspecção e de interno. A natureza está em dormência, recolhida. Inverno tem escassez de sol, de calor, de oferta de alimento. Mas também tem quietude, silêncio e paz. Terreno fértil para a atenção.

Dias curtos, noites longas. Tudo flui para o recolhimento e a diminuição do ritmo. Corpo inerte, parece morte, mas resta batimento cardíaco e respiração. Nos tornamos propensos a repousar e apreciar nosso mundo só nosso.

Clima para matutar e maturar.

Minha vida em Londres foi um grande espelho refletindo minhas ignorâncias em forma de crenças engessadas, vozes repetitivas, conceitos impróprios, pensamentos sem sentido e identificações que me eram correntes pesadas. Cristalizações de invernos passados que sem raio de sol poderiam quebrar, vindas da cultura e educação que todos herdamos.

Tantas coisas viajam na gente e nem notamos.

Todos que encontrei me foram professores, apontando na mesma direção. Eu era casa para um inquilino impostor e nem sabia.

Carregava comigo o meu inimigo.

Ele estava na forma de um pensamento sobre mim mesma, constituído de identidades inapropriadas. Construído na busca de aprovação alheia. Continha poder letal contra mim mesma.

Sabia que no fundo eu mesma me desaprovava.

E, ao mesmo tempo, havia aprendido que deveria ser especial, ser a primeira, melhor em alguma coisa do que os outros e estar à frente.

Que nó.

Não se valorizar leva a perda de energia, a se tornar disfuncional e adoecer mentalmente e fisicamente.

Enquanto que a comparação com o outro era atalho para o lado contrário ao da felicidade. Me comparar oprimia, me tornava pequena e medíocre.

Precisava aprender a ser minha própria amiga, trabalhando a meu favor e me levando para a direção certa. E onde estavam os recursos para isso?

In ter na mente.

Em ter na mente que meus processos internos deveriam estar dissociados da minha relação com os outros.

A mente que mente é veneno; a mente que liberta é antídoto.

A pressão que sentia de convencer o outro de quem eu era e de me amar, vinha da dificuldade que tinha de permitir que as pessoas fossem quem fossem. E inclui o não me permitir ser quem realmente sou, com meus defeitos e qualidades. Quando reconheci minha ignorância passei a aceitar a do outro também.

A pressão que sentia para conquistar o mundo sem nem mesmo ter conquistado a mim mesma.

A pressão de encontrar um propósito de vida inferia que eu era inútil. Toda busca é reconhecimento de falta, mas etapa necessária no processo para conhecer a si mesmo. Poderia a felicidade ser estado contínuo quando da ausência da busca? Seríamos felizes na presença absoluta onde não há busca por algo?

Estar entre tantas pessoas bem-sucedidas se tornava aperto. Perguntava-me onde estava meu sucesso. Precisei encontrar minha própria definição de sucesso e foi através dela que cavei saída da tirania de uma resposta única e superficial.

Nunca me senti na sombra de Alex. Sabia que o sucesso dele era consequência de meu suporte e presença para nossa família.

Entendi que desempenhava papéis, mas não era meus papéis e não deveria depender do reconhecimento e elogios ao desempenhá-los.

Eu não escolhi nenhuma de minhas características e não tinha controle sobre o que iria me acontecer ou sobre o resultados de minhas ações.

Pensei em meu pai. O julgamento foi finalmente tomado apenas por afeto. O que via em meu pai também reconhecia em mim.

Acho que só era capaz de julgar o outro porque não me conhecia bem, por desconhecer quem eu era, porque ainda não havia feito inventário de minhas próprias limitações e ignorâncias.

Percebi também que minha história não me fazia especial.

Compreendi que a história que vivi não era uma história excepcional, mas comum. Preencheu-me de qualidades e defeitos. Era só minha, mas todos carregavam suas próprias histórias. Talvez se conversássemos sobre elas, notaríamos que são comuns.

Não gostaria que minha história fosse diferente. Não mudaria um segundo de meu passado. Sou grata à minha história e não carrego dor do que foi.

É só uma história e não me limita, não me define.

Não sou especial e sei que a vida não acontece do meu jeito.

Saber deixar de desejar ser diferente.

Quem sabe ser ninguém seja a libertação maior de alguém?

Quem sabe a liberdade final esteja no largar a minha história?

Nos pensamentos carregados de autocondenação, eu era inadequada, insuficiente, e neles eu mesma me aprisionava. Quando os escutava, escapava do momento real que vivia e remoía passado, reafirmava certezas tortas ou ansiava por um futuro, que não sabia se chegaria e me baseava novamente em receios colhidos no passado.

Reconheci minha verdade nos espaços entre meus pensamentos. Neles eu era simples, livre e completa. A mesma desde que nasci.

Eu era solo coberto de neve e em breve poderia ser solo campo de flores. Eu era o solo e não o que acontecia com ele.

Inverno é a estação que antecede momentos importantes da vida.

A primavera trará o renascer. Neste recolhimento concentra forças para despertar. Era preciso escolher o que deveria voltar a ter vida.

Que fosse perene em mim o que me nutrisse do bem.

Eu estava pronta para florescer amor-próprio.

Planos não realizados

Faltavam cerca de cinco meses para deixarmos a Inglaterra e retornarmos aos Estados Unidos. Alex trabalharia em Nova York, porém não me agradava a ideia de lá morar. Decidimos viver em Washington, D. C., a capital do país. Alex comprou nossa casa. Eu a havia visto pela internet. Nós quatro já conhecíamos a cidade e havíamos escolhido o bairro e escola.

Naquele mesmo mês, já acompanhávamos as notícias sobre a pandemia que havia se iniciado na China. Estávamos retornando de lindas férias nas Maldivas. O COVID ainda nos parecia distante.

Trazia comigo um maravilhamento cognitivo. Havia perdido por instantes o horizonte. Diante de mim, a fusão entre o firmamento e a Terra. Durante as noites, a ausência de luz apagava o limite entre dois mundos que pareciam distantes. A ausência de divisas tornava tudo um algo só.

Brincadeira entre a luz e a escuridão que mudaram minha referência de ser. Linha tênue. Que outras peraltices estaria minha mente fazendo comigo?

Cerca de uma semana depois de nosso retorno, a pandemia se aproximava. A onda do leste do mundo estava cada vez mais perto. Todos os dias eram novos casos, novos países afetados e novas medidas tomadas. Lembro-me de ir à farmácia e lutar por máscaras vendidas por dois *pounds* a unidade. De repente, veio a urgência de estocarmos comida, papel higiênico, máscaras e álcool gel.

Em uma noite, estávamos eu e Alex na cama, prontos para dormir, quando lemos a notícia de que o treinador do Arsenal, Mikel Arteta, havia testado positivo. Ele tinha os três filhos na escola de nossas crianças. Bum! Em menos de cinco minutos o aviso do fechamento da escola.

Fomos tomados por incertezas e medos. Acreditávamos que seria algo passageiro, breve.

O tempo foi passando e a situação só se agravou. Não tínhamos permissão de sairmos do apartamento, exceto para compras, atendimento médico e exercícios físicos.

Eu havia aceitado o desafio do grupo de corrida e me inscrito na meia maratona de Praga. Faltavam apenas duas semanas para a viagem quando soubemos que tudo havia sido cancelado.

As crianças estudavam virtualmente. Os professores se esforçavam perante tantos desafios. Compromissos profissionais se misturavam aos cuidados com a família, em um ambiente de tensão e medo.

Temíamos muito pela saúde de nossa família no Brasil. Tentamos orientá-los e controlá-los à distância.

Em mais uma tarde de confinamento, Tom me chamou. Ele tinha nos olhos barragem de água pronta a romper. Puxou-me para o quarto, fechou a porta e, quando se virou, desabou. Desespero e sofrimento no rosto. Havia recebido uma ligação de seu amigo Tommy. Ele estava no aeroporto, retornando aos Estados Unidos. Seu pai havia decidido na noite anterior voltar ao país, por medo dos fechamentos de fronteiras.

Naquele momento, não havia sentido algum ser uma família expatriada confinada em uma casa alugada, distante de sua família e em um país que não era seu.

Chorei o restante do dia, até adormecer. Assistir a dor de meu filho foi o estopim de todos os medos diante da situação de calamidade que o mundo vivia. Seríamos nós os próximos? Parecia que nossa vida ali corria risco duplo de morte repentina.

Tentávamos, dia após dia, viver nossa intensa união com leveza. Um dia, me peguei observando Maitê a fazer bolhas de sabão na sacada do apartamento. Temi que as pessoas poderiam sentir medo de um gesto tão puro e banal, mas que poderia conter algo mortal em seu interior.

Demonstramos nossa gratidão ao sistema público NHS através de cartazes e panelaços.

Fizemos circuitos de exercícios no apartamento após a tentativa frustrada de caminharmos juntos em um parque. A polícia nos abordou e nos pediu para retornarmos para nosso cárcere.

Conseguimos dar início a uma obra na casa de Washington, virtualmente, claro. Obra de derrubar paredes, reformar todos os banheiros, pintar a casa toda, dentro e fora.

Neste período, Alex se especializou na arte de fazer pães e comida japonesa.

Um dia, após a faxina da casa, precisava espairecer e avisei as crianças e Alex que sairia para correr. Morria de medo de me afastar do nosso apartamento. Comecei então a correr ao redor do Regents Park, na rua que circula todo o parque. Eu tinha tanto barulho em minha mente que sem me dar conta corri quinze quilômetros. Quando notei o quanto já havia ido longe, decidi me desafiar e concluir o projeto da meia maratona por conta própria. Eram muitas frustrações de planos não concluídos que estavam congestionados na mente. Deixei que escorressem em forma de força até as pernas. Ninguém me esperava na chegada final. Estava comigo mesma e foi bom. Lembrei-me de como não acreditei ser capaz de tanto. Mais um limite ilusório destruído.

Compartilhei com as amigas do grupo de corrida, que vibraram comigo. Cheguei em casa e mostrei meu feito através do aplicativo de corrida. Recebi banho de espuma e jantar de celebração. Orgulhei-me em concluir da forma que foi possível um projeto meu. Alegrei-me em alcançar algo e ter meus filhos como testemunhas.

Aqui me lembro do escritor e maratonista Haruki Murakami que, em outras palavras, disse em seu livro sobre corrida que a dor que nos fere e que queremos superar, é exatamente o que nos lembra o que é estarmos realmente vivos.

Tempo de voar

Passados dois meses, as obras da casa estavam próximas de serem finalizadas. Não havia sinais de que a escola ou o trabalho retornariam ao normal. Decidimos partir. Partida prematura. Iríamos para nosso novo canto. Teríamos um quintal para respirar e mais qualidade de vida.

O novo continha esperança.

Encaixotei absolutamente tudo sozinha. Tentei fazer doações, porém ninguém as aceitava naquele momento.

Abandonamos muito para trás.

Deixamos a quem amávamos e um pouco de nós.

Meu ritual de despedida foi feito pela entrega de cada uma das plantas de minha florestinha. Na época, eu tinha quase cem plantas no apartamento. Entreguei-as junto a uma carta de despedida a quem me foi importante durante os dois anos da nossa vida em Londres. Cada vasinho continha vida cuidada por olhar gentil e amoroso. Senti-me cuidada por muitas pessoas, feito plantinha, e era muito grata.

A ausência de abraços nos machucou.

Houveram acenos de máscaras encharcadas de lágrimas. Quebrei o protocolo com dois abraços: o de Aiyra e o de Erin, mãe de Becca. Abraço consentido, carregado de medo de estarmos fazendo mal um ao outro.

Ganhei da líder de meu grupo de corrida um lindo quadro com memórias.

A nossa única foto no cruzamento da Abbey Road foi tirada na manhã da partida. Não havia disputa por espaço na faixa de pedestres. Não havia música dos Beatles. Londres era silêncio e velava tantas perdas. O mundo em luto.

Londres, lugar fascinante que atrai pessoas do mundo todo. Ou seria lugar com as pessoas mais fascinantes do mundo? Os lugares fazem as pessoas ou as pessoas fazem os lugares? As histórias determinam quem somos ou somos o que fazemos de nossas histórias?

E foi assim, que o temido cinza de Londres me mostrou que não há nada que eu não possa pensar diferente.

Primavera em Washington

Washington, distrito de Columbia. Capital dos Estados Unidos.

Abriga a Casa Branca, residência oficial e principal local de trabalho do presidente.

Abriga também o Capitólio, centro legislativo, onde se reúne o Congresso.

Cenário de protestos, marchas e manifestações.

Sede do poder.

Pouso

Chegamos em Washington em maio de 2020. Aeroportos desertos. Éramos vinte passageiros no voo e nossa gata Bombom. Passamos alguns dias em um hotel até que nossas coisas do depósito, guardadas quando saímos de Miami, chegassem.

O caminhão chegou carregando uma casa toda dentro dele. Rever nossos objetos guardados anos atrás nos trouxe saudades e certo desconforto. Pouco daquilo ainda fazia sentido para nós e muito comprovava que as crianças haviam crescido.

Dias depois, entramos em nossa nova casa repleta de coisas do passado.

Sobrado com verde na frente e atrás, e sem portões. Sol florescia na janela do quarto de Maitê e murchava na janela da sala. Em frente à nossa casa, um vasto gramado com árvores largas de braços grandes que abrigavam ninhos. A antiga moradora havia me deixado um guia da cidade. Atenciosa, me deu também um mapa desenhado à mão, das plantas do jardim.

Com restos de tinta da obra da casa, pintamos o balanço do fundo de nosso quintal. Nós quatro fizemos o balanço ter cor uva, mesma cor da nossa porta de entrada.

Mesmo em meio à pandemia, nossos vizinhos encontraram formas de nos fazer sentirmos acolhidos e bem-vindos. Nunca havíamos sido recebidos com tanto carinho.

Ganhamos cartões de boas-vindas, cookies de aveia recém-assados, um jogo de badminton para brincarmos no quintal, sorvete, velas e outros agrados bons para se ter na despensa.

Bairro com ares e paisagem de interior, a quinze minutos da Casa Branca.

No final de nossa rua havia um oásis. Após meses de confinamento em um apartamento, tínhamos então uma floresta a poucos metros de nossa casa. Rock Creek Park é um parque nacional de lindas árvores, córregos, animais selvagens, de ar que faz bem e de tempo sem pressa. Tem o dobro do tamanho do Central Park, em Nova York. As caminhadas diárias eram cheias de descobertas. Veadinhos, tartarugas, cobras, raposas, perus selvagens, coelhos e coiotes moram no parque. Víamos com frequência os animais visitando os coloridos jardins das casas.

Dias mais tarde, outro caminhão estacionou. Nossa casa europeia havia chegado. O que fazer com tanto? Não sentia falta de nada. Era preciso decidir o que ficaria conosco e o que deveria ser deixado de lado. A gente guarda muito mais do que precisa.

Pela primeira vez não tínhamos tempo determinado de permanência. Poder fazer planos de longa duração me deixava feliz. Ansiava pelos detalhes de nossa vida ali.

Depois de tantos endereços, voltei a ter quadros nas paredes. Desejos de constância.

Naquele primeiro ano, nossa casa foi escola, trabalho e o que mais precisássemos. O período de isolamento foi uma outra vida. Nasceu sendo medo, tornou-se plenitude e morreu sendo um pouco dos dois. A morte nos assistia. Vigiava e oferecia assistência. Sorrateiramente, nos mantinha reféns vigilantes, que saboreiam os dias com mais apreciação e gratidão à vida.

Fomos atenção plena um ao outro. Cuidamos uns dos outros, cientes da valia de cada segundo que tínhamos juntos.

Nós quatro nos descobrimos em novos papéis: padeiros, professores, psicólogos, faxineiros, instrutores de ginástica, nutricionistas, jardineiros, animadores e cabeleireiros. Nos conhecemos em camadas mais profundas, o que só o tempo com presença consente.

Sofri com a morte da vida daquele ano. Voltar à vida normal era ganhar e também perder.

E a polarização que ainda restava em mim ia, pouco a pouco, encolhendo. Dentro da caixinha de ganhos residem perdas e dentro da caixinha das perdas se escondem ganhos.

O ano seguinte foi repleto de velhos hábitos, porém envoltos em uma nova atmosfera. Primeira viagem de Alex, primeiro dia de escola das crianças e primeiro dia que me vi sozinha em casa. Não eram situações novas, mas eram situações ressignificadas.

As crianças foram pessoalmente às novas escolas.

Fazia caminho de jardins coloridos e esquilos travessos, sempre de mãos dadas com a Maitê. Escola pública, sem portões e com infraestrutura melhor do que as caras escolas européias.

Tom estava no sétimo ano do ensino médio e era a sétima escola de sua vida. Conseguiu uma vaga na mais concorrida da região. Escola Quaker, onde já estudaram as filhas dos Obamas, a filha de Clinton e os netos de Biden.

Conhecemos pessoas interessantes, de conversas sem a sombra da competição. Como fazem as crianças, brincam com novos amigos sem se importar com nome, idade e o que fazem. Não medem a valia de alguém por seus papéis e conquistas.

Washington comprovou ser múltipla, internacional e rica culturalmente. Aqui estão as embaixadas do mundo, que trazem com elas as pessoas. Havíamos aprendido quão poderoso era o contato com diferentes realidades, culturas e histórias.

O tempo mostrou que estávamos em um lugar com valores mais próximos dos que desejávamos cultivar em nossos filhos. Foi como encontrar o nosso bando, ter companhia no voo.

Aqui as pessoas expõem as causas pelas quais lutam. Falam de suas preferências políticas, se manifestam em defesa de grupos, gênero, opiniões, priorizam liberdade. Estão engajadas e preocupadas com as minorias.

A comunidade demonstra sua força acolhendo refugiados, arrecadando o que for preciso para pessoas em necessidade, preparando refeições para lares, defendendo animais, auxiliando pessoas da comunidade em momentos difíceis, voluntariando-se, fazendo doações, trocando informações e investindo no comércio local.

O poder do coletivo em pequenas ações reverbera em grandes ondas. Como despir individualidade e vestir a camisa de algo maior.

É se dar conta de que nossa história não está separada da história das outras pessoas.

As nossas histórias são pedacinhos de uma história muito maior.

Cheguei em Washington aos quarenta e dois anos. Mesma idade com que meu pai faleceu. Quando me dei conta deste fato, fui tomada por uma atitude de tornar significativa a vida extra que estou tendo.

Passaram mais de dois anos e ainda me sinto na fase de chegada.

Já me senti perdida no mundo. Não pertencente por inteira a nenhum lugar.

Não sou a mesma pessoa que deixou o Brasil. Sempre serei brasileira, mesmo não tomando café, não assistindo partidas de futebol nem na Copa, não bebendo caipirinha e nem mesmo comendo churrasco.

Ganhei novos olhos e já não mais aceito o que antes me passava com naturalidade. Nunca serei americana, mesmo que documentos digam o contrário.

Mas sinto que nós quatro somos capazes de sermos felizes em qualquer canto do mundo.

Nunca foi o lugar, sempre foi a gente.

Penso que um dia me arrependerei de não estar vivendo mais próxima de minha mãe e meu irmão. Mas acho que a qualidade de nossas relações veio também da distância que nos fez mais livres e conscientes da relevância que é o tempo que temos juntos. Sei que mesmo que morássemos sob o mesmo teto, a culpa faria sombra. Desejos de ser infinito, encarcerados em nossas condições humanas.

Quem sabe um dia Tom e Maitê irão construir vida à distância? Meu ego se contorce, mas afirmo que não gostaria que meus filhos diminuíssem suas vidas por mim. Quero que vivam seus máximos, suas versões mais amplas e plenas. Que não se façam menores por minhas carências, inseguranças ou vaidades. Que não temam a grandeza de quem são.

Jardim

Amo viver onde as quatro estações são visita.

Adoro estar no meu quintal. Sempre que penso nesse "meu", rio por dentro, imaginando que sou pensamento que se vai em breve, para a terra que sempre esteve, para a árvore que avista um e outro passar e se nomeia dono dela. Fingimos que vivemos para sempre, mas estamos indo embora.

O caos e o barulho me desequilibram, roubam consciência e são zunidos que me ensurdecem de minhas próprias ideias.

Mas o jardim é feito de paz.

Ele é convite requintado para contemplação.

Anseio primaveras. Esperança soterrada que persiste.

Como mágica, a natureza desperta o que parecia morto.

Renasce forte, decidida, vibrante.

Cuido das plantas e flores: sujo as mãos de terra, planto, colho, podo, mudo de lugar e semeio.

Vibro com o ciclo: flores, insetos e frutos. No verão e outono, colho abobrinha, pimentão, tomate, pepino, berinjela, figo, abóbora, pimenta, coentro, couve, cebolinha e salsinha.

De minha janela, vejo cores de dália, hortênsia, copo de leite, margarida, dama da noite e glória da manhã. Depois do encontro, me fazem esperar um ano inteiro para nos vermos de novo.

Vida passageira a de uma flor. Nasce, vive e morre no tempo de música.

Meu jardim é professor. Aprendi a salvar minhocas nas calçadas, a observar o berçário de joaninhas e aguardar o mês dos vagalumes. Já assisti coelho cavar toca e não me importo quando comem minha plantação. Eles não têm a opção de ir ao mercado.

Agrado os pássaros que pausam viagem e descem dos céus.

Pousam. Ofereço água e alimento. Vem pica-pau, gaio-azul, estorninho-malhado, pássaro cinza, canário selvagem e meu favorito, o cardeal. O cardeal macho de cor vermelha viva está sempre com sua esposa às voltas. Ela é discreta e se confunde com os galhos das árvores.

Tenho duas casinhas de passarinhos. Presentes de meu vizinho artesão. Depois de aposentado, passa horas em sua garagem construindo casas. Na última primavera, as casas do meu quintal se tornaram ninhos.

Nesse jardim, ando mais descalça e com menos certezas.

Passei a repousar mais olhar sem pressa sobre meus filhos.

A depositar mais atenção no calor das mãos de Alex.

Tempos mais calmos, mas não menos significativos.

Desejos de sutileza. Quero ser mais presente e ao mesmo tempo invisível. Quero ser detalhe. Ser pessoa simples que se satisfaz com as coisas efêmeras da vida.

Só respirar e observar, para quem sabe, escutar segredos sagrados.

Enxergar o extraordinário do ordinário.

Aprender a transformar casa em ninho.

Percebo que o tempo se rasteja e sussurra: corre não, vai e registra todos os detalhes, guarda e faz da lembrança portal para sempre que a dor da falta te visitar.

Parece um ensaio para estar pronta para assistir o término de ciclos de um mesmo lugar. Mudanças e partidas que não escolherei, mas que virão. A vida não me dará o mesmo tempo para me recuperar de outras perdas. Mas já aprendi bastante com as primaveras que me atravessaram.

Eu, Alex e as crianças já vivemos muitas vidas até aqui.

E tudo foi benção.

Minha rua tem várias cerejeiras.

Uma delas me rouba a atenção.

Desobedece as estações e segue seu tempo próprio.

Não precisa da primavera para se colorir.

Floresce até no inverno.

Parece ter menos regras de como viver.

Menos critérios para ser feliz.

Não cabe perfeitamente no sistema.

E tudo bem.

Sabe que romper com padrões de pensamentos pode fazer brotar felicidade.

Vive livremente. Vive livre mente.

Felicidade é o perfume exalado da sintonia com o que há de mais verdadeiro em nós.

Bússola

Instrumento de localização e orientação.

Anos vivendo em locais diferentes me permitiram colecionar muitas memórias. Partilho algumas especiais:

Após alguns anos vivendo fora do Brasil, Alex pede pela primeira vez que meu sogro vá ao apartamento onde morávamos. Estava preocupado com uma correspondência da empresa em que trabalhara anteriormente. Meu sogro diz ter sentido o ímpeto de ir até outra cidade, verificar a correspondência, assim que desligou o telefone. Sua visita evitou que perdêssemos nosso apartamento. Ele chegou minutos após o carteiro e antes que o porteiro encaminhasse a correspondência ao apartamento, que se encontrava alugado. Na carta, um banco avisava que nosso apartamento estava indo a leilão pelo não pagamento de um empréstimo. Nosso locatário havia falsificado os meus documentos, pedido um empréstimo em meu nome e colocado o nosso imóvel como garantia. Meu sogro chegou precisamente no dia e hora certos.

Outra situação se deu quando fomos a Londres conhecer os bairros e decidir onde moraríamos. No escritório, comentava-se que Alex não queria se mudar. Após tomarmos o café da manhã em um hotel, saímos pelas ruas de Londres para caminhar. As crianças ainda estavam de pijamas e decidi fotografá-los. Na foto aparecem as crianças e, ao fundo, dois homens que caminhavam em nossa direção. Quando se aproximaram, cumprimentaram Alex. Eram os dois chefes dele, vendo com seus próprios olhos que estávamos comprometidos com a mudança. Vale lembrar que Londres é uma cidade muito grande e estávamos em uma manhã de domingo.

A outra história aconteceu em Washington. Chegamos no meio da pandemia e as crianças estudavam virtualmente. Durante o ano inteiro, Maitê conheceu pessoalmente apenas uma amiga de classe. Sua mãe me escreveu, dizendo que sua filha gostaria de conhecer Maitê. Sugeri levá-las ao playground para brincarem. Após alguns minutos de conversa, a mãe relatou um episódio em que sua filha havia sido removida da escola em uma ambulância. Ela descreveu exatamente todos os sintomas que eu vinha notando em Maitê há alguns meses. Enfim, a mãe me recomendou o neurologista e foi suporte para meus receios quanto à medicação e os exames. As meninas ainda estão em tratamento para episódios de ausência, o tipo de epilepsia mais comum na idade que estão.

A última história aconteceu na ida de Tom a um acampamento de verão na Carolina do Norte. Após um ano de escola virtual, achamos que seria divertido ir com um amigo de Miami a esta nova experiência. Seriam três semanas com outras crianças de sua idade. Dirigimos no dia anterior até a cidade mais próxima. Na manhã seguinte, ele entraria no acampamento. Para nossa surpresa, Tom fez seu reencontro com Tommy. O amigo que partiu de Londres sem adeus e partiu seu coração. Ele e sua família dirigiam do Colorado a Boston. Semanas de viagem. Estavam no mesmo hotel, também por apenas uma noite. Os meninos tiveram poucas e muito felizes horas juntos.

Além de memórias, são também sinais.
Estão embebidas de algo em comum.

Carregam indícios de uma ordem, expressa em sincronicidades e conexões. Onde existe a potência para todas as impotências do mundo. Onde sabe-se que toda ação é oração.

Quanto mais me demoro nos detalhes, mais a inteligência por trás de tudo se mostra. Estaria ela presente em tudo e todos? Seria ela a matéria prima de tudo? Formas diferentes para uma só realidade?

Estas histórias alimentam a confiança em algo que não cabe em palavras e definições.

Não acredito no acaso. As experiências, os fatos e as pessoas de nossas vidas foram exatamente o que precisávamos. As migrações foram destinadas a nós, porque continham as nossas lições.

Os países onde vivemos e suas culturas não foram as grandes mudanças que aconteceram. A grande migração foi interna.

Porque a minha realidade particular determina a realidade do mundo em que vivo.

Os homens ainda não compreendem como as aves migratórias sabem qual direção tomar ou distinguem norte e sul. Aves cruzam oceanos, voam durantes dias e noites, em um espetáculo misterioso.

Seriam eles guiados apenas pelos astros? Fala-se de uma bússola interna, capaz de sentir e reagir ao campo magnético do planeta. Diz-se também que, possivelmente, o sensor magnético esteja em uma proteína nos olhos das aves migratórias.

É certo que os olhos de aves, como as águias, são conhecidos por enxergarem longe e em um espectro de cores mais amplo.

Enxergar é questão de vida e morte.

Por isso, peço por olhos de águia para enxergar o que é divino. Quero enxergar o que não se vê através dos olhos. Desejo olhos sem o peso da memória.

Quero ver razão para entregar o meu melhor, sem troca, sem fazer pelos resultados.

Não ver através da capacidade limitada de minhas mãos e sim através do amor ilimitado de meu coração. Visão que expande o coração, a compaixão e a conexão com tudo e todos à minha volta.

Quero olhos claros, lúcidos, capazes de se identificar e se reconhecer no outro.

Desejo uma vista que unifica.

Que possa enxergar o sol atrás da nuvem escura, mesmo durante tempestade.

Quero saber voar alto e ficar acima das nuvens, assistindo a tormenta passar.

Minha tatuagem rebelde, feita aos dezesseis anos, para mostrar descontentamento e confrontar meu pai, foi coberta por um coração volumoso, nobre como um brasão, um escudo. Simboliza a ressignificação do amor, por meu pai, por minha família e por mim. Tenho para mim que não é apenas um coração, é co-oração, uma devoção por nossa ligação eterna.

Em Londres tatuei uma flor de lótus. Um fio único. Às vezes forte e grosso, às vezes fraco e tênue. Fio que se contorce como se estivesse perdido, sem direção.

Acredito que é assim que a vida corre. Vida é voo, de trajeto de altos e baixos, conquistas e perdas, tempos de abundância e tempos de escassez.

Vale não perder a confiança na bússola interna.

Ao final, quando lançarmos olhar de pássaro, do mais alto voo, reconheceremos o caminho sinuoso e complexo voado em cada inspiração e expiração. Formará desenho. Terá sido uma viagem significativa. Algumas mais breves e outras longas, alguns de pousos suaves e outros repentinos.

As migrações estarão lá.

Voos de céu claro decorados de arco-íris e também os voados às cegas nas profundezas ou em ar rarefeito.

Os de asas amplas e peito aberto e os fracos, feitos com asas feridas.

Voos corajosos e também aqueles trêmulos de medo.

Voos solitários ou acompanhados.

Os pássaros em bando formam lindos movimentos, que ondulam e rodopiam pelos céus. Espetáculo de milhares de aves que bailam formando ondas, nuvens negras dançantes, as chamadas murmurações ou revoadas. Sincronicidade de velocidades e posições. Formações fluidas de um mecanismo de correlação comportamental. Vínculos invisíveis que unem.

A bússola sabe discriminar o que nos faz bem, nos faz capaz de largar o que não nos serve e nos ajuda a encontrar o amor por trás das outras emoções. Sua seta aponta para força interior e nos torna capazes de suportar desconfortos, redireciona compulsão e impulso para consciência e nos guia para o que é correto.

Quem sabe nossa bússola interna carrega a capacidade de criar o trajeto correto para nos tornarmos a pessoa que gostaríamos de ser?

Aprendi a confiar no fluxo da vida e hoje meu voo é mais livre. Liberdade que busco diariamente ao abrir as gaiolas mentais que insistem na vontade de dizer como a vida deveria ser. Certos pensamentos podem custar o preço da liberdade de viver. Limitam o voo.

Voar contra o vento cansa. Perde-se a força e se torna voo baixo e perigoso. Arrisca-se perder a vista do horizonte e lançar olhos para mesquinharias.

Se estivermos próximos à água, veremos nosso próprio reflexo. Será a chance de mergulhar em águas paradas dentro de nós. Será a decisão de não querer mais sofrer e de lavar as dores que pesam sobre as asas e não permitem os voos mais altos.

Que se torne banho em oceano de amor.

Que nos recarregue com força de crescimento.

As mudanças são naturais na vida.

Vale não resistir aos novos ventos.

Não controlamos o tempo e as forças da natureza.

Novos ares sopram novas percepções.

Que a gente não tema as alturas.

E aí, quem sabe, seremos engolidos pela beleza do voo liberto, de quietude interna, de ventos gentis e com a clareza nos olhos de que tudo é significativo e divino.

Meus filhos não conheceram meu pai.

A cada dia que passa, noto mais dele em mim.

Além da cor de seus olhos, descobri que herdei a capacidade de evocar seu olhar de afeto e sensibilidade.

Olhos de poesia.

Olhos de pássaro.

Presente do avô aos netos.

Agradecimentos

Agradeço a todas as pessoas que cruzaram meu voo e me entregaram algo para meu crescimento.
Conhecidos e desconhecidos.
Agradeço meus pais, meu irmão, meu marido e meus filhos por serem quem são e, por isso, serem parte de mim.

Sobre a autora

Valéria Macedo nasceu em São Paulo, em 1977. Já foi dentista e analista de sistemas. Moradora do mundo. Apaixonada por natureza, yoga, por aprender e se reinventar. Mas amanhã tudo pode mudar...
Instagram - valeriamacedoescrita

Printed in Great Britain
by Amazon

23909112R00108